NHK出版編

讓屋內屋外煥然一新！

家庭修繕 百科

自己的家自己打理

CONTENTS

自己住自己修！
居家的修繕技巧

牆壁

窗戶門

地板

家具

DIY 的 3 大好處

因為重物掉在地上，在地板上砸出了傷痕……。

不知道從什麼時候開始，紗窗的窗扇在開關時變得卡卡的……。

即使是自己住慣了的家，經過歲月的洗禮，傷痕和污垢也會變得愈來愈明顯。

偶爾還會發生突如其來的意外事故，例如水從水龍頭裡漏出來的慘劇。

諸如此類居住上的疑難雜症，您會怎麼處理呢？

「什麼？不是請業者來處理就好了嗎？」我想一定也會有人這樣說。

但是在那之前，要不要稍微研究一下可不可以 DIY（自己動手作）來修補呢？

以下是 DIY 修繕的好處——

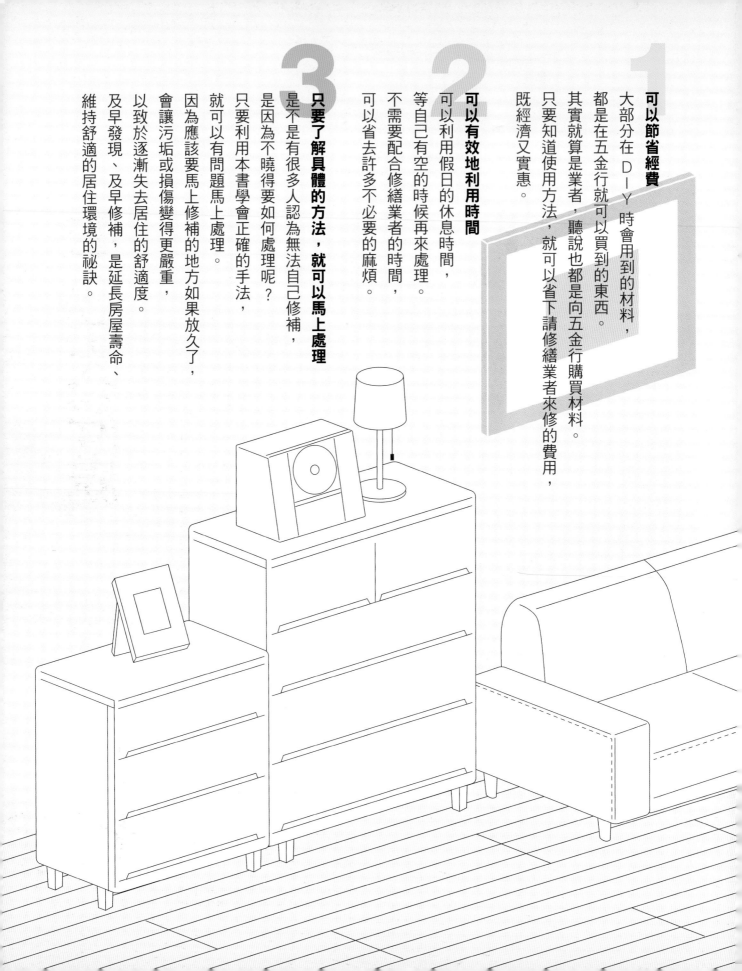

1 可以節省經費

大部分在DIY時會用到的材料，都是在五金行就可以買到的東西。

其實就算是業者，聽說也都是向五金行購買材料。

只要知道使用方法，就可以省下請修繕業者來修的費用，既經濟又實惠。

2 可以有效地利用時間

可以利用假日的休息時間，等自己有空的時候再來處理。

不需要配合修繕業者的時間，可以省去許多不必要的麻煩。

3 只要了解具體的方法，就可以馬上處理

是不是有很多人認為無法自己修補，是因為不曉得要如何處理呢？

只要利用本書學會正確的手法，就可以有問題馬上處理。

因為應該要馬上修補的地方如果放久了，會讓污垢或損傷變得更嚴重，以致於逐漸失去居住的舒適度。

及早發現、及早修補，是延長房屋壽命、維持舒適的居住環境的祕訣。

要花多一點時間是理所當然的
就按照自己的步調來仔細地修繕吧！

和可以在短時間內搞定一切的專家不一樣，

如果是DIY的新手，

在作業上可能需要多花一點時間也說不定。

即使如此，只要以正確的方式仔細地進行，

一定可以得到令人滿意的成果。

還有，使用的道具和材料，

基本上都可以在五金行買到。

本書充滿了牆壁、地板、屋裡屋外、衛浴設備等地，

所有居住場所所需要的修繕技巧。

為了保持居家環境的舒適與價值，

不妨以DIY的方式即早修繕。

給購買本書的各位讀者們

●本書是以NHK電視台「自我風格住家DIY入門」的節目所發行的雜誌（2005年10、11月號～2008年2、3月號）上所刊登的內容為中心，增刪、修改而成。

●文中所揭示的價格基本上是以參考編輯部所調查的零售價格為標準，這個價格會隨著市場的動向而變動，或者是因為製造廠商或零售商的因素而出現缺貨、停產的情況，敬請見諒。

●如果附近的五金行沒有本書所使用的同一種材料（商品），要是有效果相同的替代品的話，請直接改用那個。另外，使用的時候請先仔細地看過商品所附的說明書。

●作業的時候，請一定要小心別讓自己或周圍的人受傷，也不要給左鄰右舍製造太大的噪音。

牆壁

用這個來處理

壁紙翹起來、破掉了

翹起來或破掉的壁紙可以用專用的壁紙修補用接著劑，而壁紙與壁紙之間的縫隙則可以用固定用的滾筒來修補。牆壁上如果不乾淨，或者是有灰塵或水分的話，接著劑就不容易黏上去，所以請先把接著面弄乾淨之後再上接著劑。翹起來的壁紙如果放著不管的話會捲得愈來愈嚴重，所以請及早採取對策。

滾筒

塗上接著劑之後，在壁紙上滾動，好把壁紙服貼地壓上去。
500〜2000日圓左右

壁紙修補用接著劑

專門用來對付上頭鍍有一層膠膜的壁紙破損、掀開專用的接著劑。如果壁紙翹得很厲害的話，可以在塗上接著劑之後，在壁紙上再貼一層防護用膠條等加以固定。壁紙用接著劑／Konishi／346日圓左右

大約的時間
時間：5〜30分

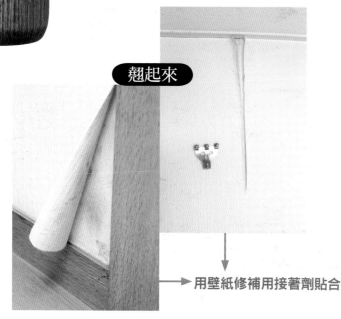

翹起來

→ 用壁紙修補用接著劑貼合

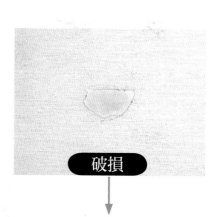

破損

→ 貼上同樣材質的壁紙

2 把尺貼在防護用膠條上,用美工刀沿著內側割下來,在割的時候要連原本的壁紙也一起割下來,然後再把修補用壁紙撕下來。

3 把防護用膠條和多餘的修補用壁紙一起撕下來,原本的壁紙也要沿著美工刀割開的地方撕開。

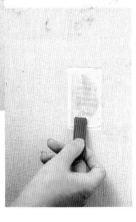

4 塗上壁紙修補用接著劑,用刮刀把接著劑塗布均勻。

5 貼上**2**的修補用壁紙,再用充分擰乾的抹布和滾筒作最後的修飾。

從角落處翹起來

用乾的抹布把翹起來的壁紙上的污垢擦拭乾淨,和接縫處的作法一樣,塗上接著劑,貼回原來的地方。

破損

◆Point

事先準備一些壁紙

即使是在請專門業者來更換壁紙的時候,也要事先把多餘的壁紙保存起來,這樣就可以修補得跟原來一模一樣了。如果沒有的話,只好去找類似的壁紙,購買需要的量。

1 先剪下一塊比破掉的地方還要大一號的修補用壁紙,把修補用壁紙蓋在破掉的壁紙上,用防護用膠條固定。

從接縫處翹起來

1 為了撫平翹起來或掀開來的壁紙,請把縫隙之間擦乾淨,把熨斗開到中溫,中間隔著一層布,從下面往上推。

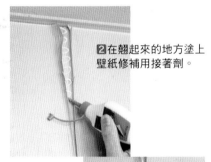

2 在翹起來的地方塗上壁紙修補用接著劑。

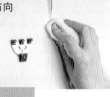

3 把抹布沾濕,用力擰乾,在壁紙上從兩側朝著要接合的方向按壓。

4 把滲出來的接著劑徹底地擦乾之後,用滾筒在接合的地方上下滾動,讓壁紙貼合固定。

用這個來處理

壁紙上有洞或縫隙

牆壁上小小的洞可以用壓克力填縫劑來補救。因為是乳狀的材質，所以即使是小小的洞也可以充分填滿，也可以把好幾種不同的顏色混合起來一起用。由於乾燥的速度很快，所以迅速地完成是其祕訣。

壓克力填縫劑

一組有白色、淺象牙白、淺米色等三色再加上刮刀。可以配合牆壁的顏色調整。補洞職人（壁紙用）／House Box／700日圓左右

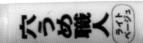

大約的時間
時間：5～10分
（不含乾燥時間）

圖釘打的洞

螺絲打的洞

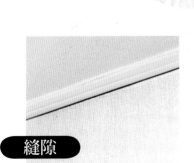

縫隙

用壓克力填縫劑填滿

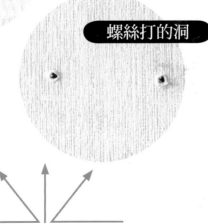

500g裝的壓克力多功能矽利康填縫劑在修補長長的裂縫上很好用。由於是換壁紙時的修飾用多功能矽利康填縫劑，也可以運用在修補上。顏色也很豐富。JOINTCAULK-A壁紙接著劑／YAYOI化學工業

10

貼上壁紙腰帶，把洞藏起來

如果洞或破損的地方在大約一公尺高的地方，
最快最簡單的方法就是
貼上稱為壁紙腰帶的帶狀貼紙。

1 決定好要貼上壁紙腰帶的位置之後，先貼上防護用膠條，作好記號。

2 在作有記號的地方釘上圖釘，把防護用膠條撕下來之後，再把線貼在水平線上。

為帶狀的壁紙，用來作為裝飾牆壁、天花板之用。有五花八門的尺寸和圖案。自黏式的壁紙腰帶只要撕下背面的膠紙就可以直接貼在壁紙上，十分方便。

3 沿著線的邊緣貼上壁紙腰帶，再用乾的抹布在上頭按壓，一面貼一面把裡頭的空氣壓出來。

縫隙

如果是牆壁和牆壁、牆壁和天花板之間細細的縫隙，也可以用多功能矽利康填縫劑補起來。

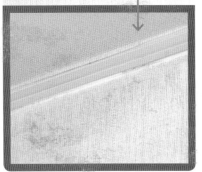

圖釘打的洞

以和處理螺絲打的洞同樣的方法來把洞填滿。

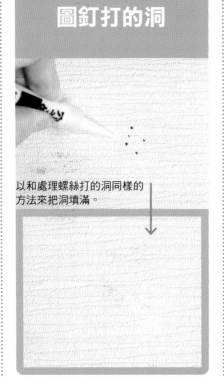

螺絲打的洞

1 用刮刀把洞洞周圍突出來的部分壓平，如果是非常小的洞，光是這麼作就可以讓洞洞變得比較不明顯。

2 把填縫劑擠進洞裡，直到把洞填滿為止。

3 用刮刀把多功能矽利康填縫劑壓進去。

4 用徹底擰乾的抹布在上頭輕輕地按壓，把多出來的多功能矽利康填縫劑擦掉。

換壁紙

壁紙表面的材質有塑膠、紙、纖維等等，五花八門。筆者特別推薦塑膠材質的壁紙，因為塑膠壁紙既便宜又防水，保養起來很簡單。而且塑膠材質的壁紙中，除了「自黏式」的以外，貼的時候不管是歪掉還是皺掉，都可以輕鬆地修正。只要掌握住如何把壁紙與壁紙之間貼得工整又漂亮的訣竅，就可以迅速地更換壁紙。

壁紙

貼上有花紋或有顏色的壁紙，可以讓原本只有象牙白一色的牆壁不容易顯髒，房間裡的氣氛也會煥然一新。不過，有圖案的壁紙在兩兩相接的時候需要比較高超的技巧，所以DIY新手最好還是用沒有圖案的壁紙。

用這個來處理

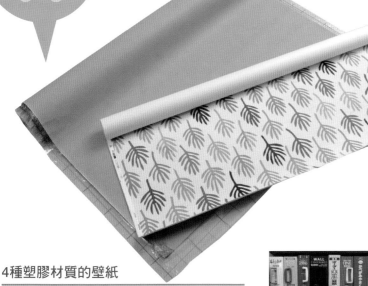

4種塑膠材質的壁紙

沒附漿糊 必須自己塗上漿糊自己貼的類型。也可以花錢請店家先把膠塗布好。

有附漿糊 已經事先塗布好壁紙用漿糊的類型。撕下保護膠膜之後就可以貼。由於漿糊很容易乾掉，所以在買回去之後請一定要趕快貼。

背膠式 像郵票一樣，上頭有背膠，用水沾濕之後即可貼的類型。

自黏式 利用特殊的黏著材質黏貼的類型。

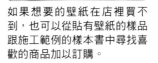

如果想要的壁紙在店裡買不到，也可以從貼有壁紙的樣品跟施工範例的樣本書中尋找喜歡的商品加以訂購。

大約的時間與材料費

時間：4小時
材料費：4萬日圓

由於漿糊很容易乾掉，所以要事先裝進塑膠袋裡。要裁剪的時候再拿出來用。

材料與工具

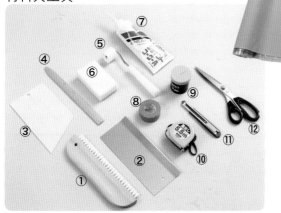

壁紙（用漿糊來貼）
①壁紙刷（使用於要把空氣從牆壁與壁紙之間趕出來的時候）
②裁邊尺（使用於要把多餘的壁紙割掉的時候）
③塑膠刮刀（使用於貼好之後，在壁紙的表面上按壓，使其服貼）
④小竹板（沿著天花板或樑柱的邊緣按壓，使角度立體）
⑤壁紙用滾筒（在壁紙的接縫處或邊緣上滾動，使其服貼）
⑥海綿 ⑦壓克力填縫劑 ⑧防護用膠條（20mm）
⑨美工刀的折刀片器 ⑩皮尺 ⑪美工刀 ⑫剪刀
除此之外還有鉛筆等等

After

Before

由於是淡淡的橘色，可以使整個房間都很明亮，瀰漫著溫暖的氣氛。

貼壁紙前的準備工作

✳ 把舊的壁紙撕下來

像是要把舊的壁紙的背膠留一片在牆壁上似地撕下來。

用美工刀把舊的壁紙割下來。把美工刀貼在比較容易拉起來的地方（和天花板的接縫處或突出樑柱的部分），割出一道開口。

✳ 把衣櫃的門拆下來

如果衣櫃有門的話，請先把衣櫃的門拆下來，會比較容易作業。

用拉的方式把舊的壁紙撕掉。

✳ 把插座的外殼拆下來

用螺絲起子把插座的外殼拆下來，只要把底座上的螺絲拆下來就好了，裡面的東西不用拆，貼上防護用膠條。

貼完整個房間的壁紙

第一張請從最角落的地方開始貼。重點在於先固定之後，再用壁紙刷、塑膠刮刀等，把跑進去壁紙內的空氣給推出來。然後再利用裁邊尺把多餘的壁紙切掉。

貼上第一張

3 用美工刀把在**2**作上記號的部分割開。
美工刀一旦不利就要痛快地把舊刀片折斷，盡可能在銳利的刀鋒下進行作業。

4 把背面的膠膜剝到只剩下下面的4分之1左右，往上推之後固定。樑柱和冷氣突出來的角落部分用剪刀剪出一道3cm的牙口之後就先放在那裡。

5 冷氣、天花板、樑柱、右邊都各自預留3cm的空間之後，把整張壁紙貼上去。

把障礙物的部分剪掉，貼到牆上

1 在天花板等不需要貼壁紙的部分，預留約3mm的寬度，用防護用膠條保護好。

寬3mm

從冷氣的高度−3cm

2 先把壁紙固定在牆上比較低的位置，丈量樑柱和冷氣的尺寸。再從各自的尺寸中減去3cm，用鉛筆把線畫在壁紙上。

丈量尺寸，裁切壁紙

1 用皮尺從天花板量到地板的長度。然後上下各預留3cm（共約6cm）為每一張的長度。

2 用剪刀剪下需要的長度，由於是有附漿糊的壁紙，所以請把背面朝上，從保護膠膜的上方剪開。※剪開後為了防止乾燥，請再裝回塑膠袋裡。一開始可以先把所有的壁紙都依照長邊的尺寸剪開，再放回塑膠袋裡保存，也可以貼完一張之後，再丈量下一張壁紙所需的尺寸，將其剪開。

有附漿糊的壁紙背面。貼在邊邊的膠帶稱之為接縫膠帶，這是為了在貼的時候不要弄髒兩側壁紙的貼心設計。

14

⑧將裁邊尺用力地貼在牆壁的下方,把壁紙裁掉。

⑨用塑膠刮刀把空氣擠出來。

⑩最後再把海綿沾濕,然後用力地把水分擰乾,把跑出來的漿糊擦掉。

第1張搞定

⑤和天花板的交界處也一樣,用裁邊尺把多餘的壁紙裁掉。

⑥一面把剩下的膠膜撕掉,一面用壁紙刷讓壁紙跟牆壁密合。

⑦將小竹板貼在右端部分(衣櫃旁邊),把直角壓出來。再用裁邊尺把多餘的壁紙裁掉。

插座的部分等處

用美工刀把疊在插座上的壁紙切掉,再把外殼裝回去。

把多出來的壁紙剪掉

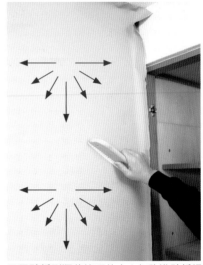

①用壁紙刷順著箭頭的方向把跑進壁紙裡的空氣刷出來。

②如果出現皺紋的話,先把壁紙撕下來,再用壁紙刷一面把空氣趕出來一面重新貼好。

③用小竹板把周圍抹平,作出直角來。

④用裁邊尺把多餘的壁紙裁掉。

用滾筒在接縫處按壓

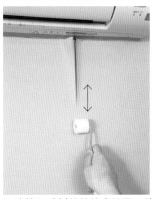

用滾筒在壁紙的接縫處按壓,使其密合。如果有膠滲出來的話,再用徹底把水擰乾的抹布迅速地擦乾淨。

冷氣、門上的縫隙等等

1 在冷氣上貼上防護用膠條,貼上空隙部分的長度+上下預留約3cm的壁紙。接合的部分(照片中○的部分)也一樣,進行接合的作業**3**。

2 門上方的壁紙也先固定之後,再用壁紙刷作最後處理。配合門框的寬度,事先把多出來的壁紙裁掉**4**。

裁掉的部分

接縫處的處理

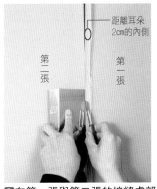

距離耳朵2cm的內側

第二張　第一張

1 在第一張與第二張的接縫處部分,在『耳朵』內側2cm的地方用美工刀割開。

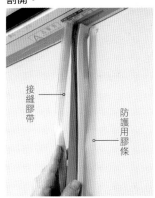

接縫膠帶

防護用膠條

2 第一張壁紙和第二張壁紙從接縫處割開的狀態(整個構造請參照下圖)。

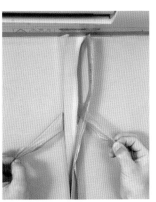

3 把左右兩邊的接縫膠帶撕掉。右側的壁紙用來貼邊的防護用膠條也一併撕掉。

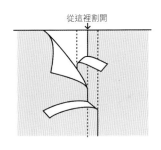

從這裡割開

第二張以後就要在壁紙與壁紙之間的接縫處進行「接合的作業」,這是一項反覆利用滾筒進行的作業。為了要把壁紙兩端的的『耳朵』的部分剪掉,所以請用兩倍的『耳朵』的寬度(約2cm)的防護用膠條貼在邊緣,然後從中央切開。

防護用膠條

耳朵的寬度

第二張　第一張

垂直地將防護用膠條貼在第一張壁紙的『耳朵』內側(所謂的耳朵請參照Point)。貼上第二張壁紙,彷彿是要遮住這道防護用膠條一樣。

P oint

基本上,壁紙的兩端都有大約2cm的『耳朵』。壁紙的型號和上下的標示等記號都印在這裡,通常都用在最後要進行「接合的作業」時。把防護用膠條貼在『耳朵』的寬度內側,再貼上第二張壁紙,彷彿是要把防護用膠條遮起來一樣,最後再和第二張壁紙的『耳朵』一起切開是最基本的作法。(參照下圖)

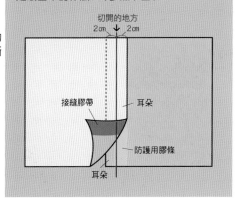

切開的地方
2cm　2cm

接縫膠帶　耳朵

防護用膠條

耳朵

貼完剩下的牆面

依序把壁紙貼上去⑧。

貼在樑柱的下方

1樑柱的下方也要貼上壁紙，用壁紙刷好好地抹平⑦。

與樑柱之間的空隙

1先把壁紙⑤固定之後，再用壁紙刷、塑膠刮刀作最後的修飾。

注入多功能矽利康填縫劑

利用壓克力填縫劑來把牆壁的邊緣和接縫處補滿，縫隙就不會那麼明顯，壁紙也比較不容易脫落。

2把裁邊尺用力地貼在轉角處，把角度作出來。

完成！

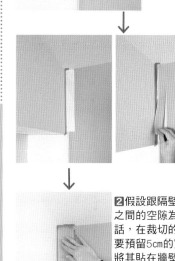

2假設跟隔壁的樑柱之間的空隙為1cm的話，在裁切的時間就要預留5cm的寬度，將其貼在牆壁上，進行接合的作業⑥。

空隙

用這個來處理

水性油漆

合成乳膠漆。除了塑膠材質的壁紙之外，也可以塗布在室內的混凝土牆、浴室牆壁等處。乾燥時間約1小時（20度），冬天約2小時。由於是水性的，可以用水來稀釋，用完的工具也可以用水來清洗。室內牆壁用油漆（粉紅色）1.6公升（塗布面積為11.2～16平方公尺）／4300日圓左右／Kanpe Hapio

在塑膠材質的壁紙上油漆

使用可以在塑膠材質的壁紙上塗布的油漆塗滿整片牆壁，比起把壁紙重新貼過要來得省時省力。不妨事先計算好需要油漆的牆壁面積，準備好比需要的量稍微多一點的油漆。油漆時最重要的就是「作好遮蔽工作」。不可以塗到油漆的部分就要徹底地作好遮蔽工作，是漆得漂漂亮亮的祕訣。

大約的時間與材料費
時間：4小時（不含乾燥時間）
材料費：9000日圓（約20平方公尺）

材料與工具

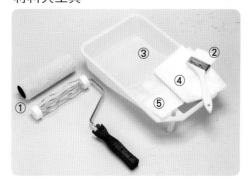

①滾筒式刷頭和握柄
②馬蹄刷（水性用）
③油漆盤
④塑膠袋
⑤塑膠手套
除此之外還有滾筒式刷頭的延長式握把、免洗筷、梯子等等

油漆後

●天花板附近

把防護用膠條貼在與天花板交界的邊緣。如果膠條在中間歪掉了，請先把膠條剪斷，再重新開始貼。如果是站在梯子上進行的話要注意安全。

●包覆窗簾滑軌

把窗簾拆下來，用塑膠套等把窗簾滑軌包起來。

遮蔽

在與油漆面相接的地方進行遮蔽工作。請從頭到尾用手確實地壓好防護用膠條，使其密合。

進行遮蔽之前

在進行遮蔽之前，請先把房間整理好、把家具移到別的房間，如果壁紙上有污垢的話，請先用家庭用的中性洗潔劑去除頑垢（參照36頁）。壁紙的接縫處如果有翹起來或破損的地方，也務必事先修補好（參照8～9頁）。

材料
防護用膠條（寬30、50mm，準備好需要的數量）
報紙及塑膠袋、梯子等等

附有遮塵布的防護用膠條在油漆的時候也十分好用。

●門框、柱子等等

和天花板一樣，筆直地貼上一道防護用膠條。

●橫板、地面

把防護用膠條貼在報紙的邊緣，讓報紙與報紙之間稍微有一點重疊，貼在橫板與地板的交界處。然後在橫板的部分也貼上防護用膠條。

●瓦斯孔、開關

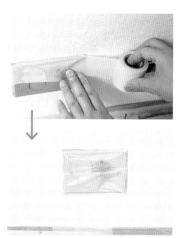

把防護用膠條貼在瓦斯孔的面板上，開關和插座也以同樣的方式保護。

油漆
角落的部分

從油漆面的周圍比較瑣碎、比較難塗布的部分開始塗是刷油漆的基本。另一方面則是要從牆壁上最高的地方開始塗。

●馬蹄刷的準備

在要使用一把新的刷子時,請先把刷頭整理一下,拔除可能會掉在油漆面上的雜毛。把刷子的握柄夾在兩手中間,以揉搓的方式轉動刷子,讓雜毛浮現出來。然後把再浮起來的雜毛拔掉備用。

●油漆的準備

由於油漆裡的顏料會沈澱在底部,所以在開封之前請多搖晃幾次,打開蓋子之後再用免洗筷等攪拌一下。

讓馬蹄刷吸收油漆到刷毛長度的3分之2處。如果不想花時間洗油漆盤的話,也可以用塑膠袋把油漆盤包起來。

❶ 天花板附近

用馬蹄刷在天花板附近的轉角處(沿著油漆面的邊緣)塗上油漆。不妨一面移動梯子一面進行油漆作業。

❷ 柱子附近

在牆壁側面與柱子接觸的轉角處塗上油漆,記得要由上往下塗。

❸ 橫板、插座周圍

在橫板附近等牆壁的下方塗上油漆,也別忘了插座的周圍。用完之後的馬蹄刷一定要馬上浸泡在水裡,油漆完之後迅速洗淨。

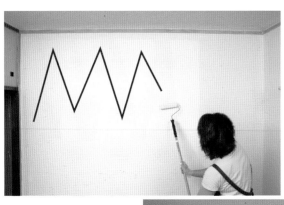

1 把牆面分成上下兩部分，分兩次刷上油漆。用滾筒式刷頭以書寫M字的方式，從牆面的左邊往右邊塗布。

油漆
大面積的部分

用滾筒式刷頭塗布面積比較大的部分，把牆壁分成上下兩部分來塗會比較有效率。

● 滾筒式刷頭的準備

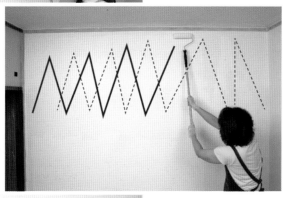

2 在 **1** 沒有塗到的部分，繼續以書寫M字的方式刷上油漆。

把滾筒式刷頭在油漆盤上滾一圈，使其沾上油漆。由於在為牆壁的上半部油漆的時候需要用到延長式握把，所以請事先裝好。

3 牆面的下方也一樣。把延長用的握柄拿掉，繼續塗抹下面。

4 為了不要發生哪裡沒油漆到的慘劇，請從牆面左邊開始，依序以垂直的方向用滾筒式刷頭一行一行地刷上。如果是凹凸不平的壁紙，在凹進去的地方可能會有油漆沒有刷進去的情況，所以請稍微用點力壓住滾筒，把油漆徹底地刷上去。

5 在油漆乾之前就要把防護用膠條撕下來。撕的時候要小心，不要讓膠條黏在剛油漆好的牆面上。

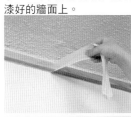

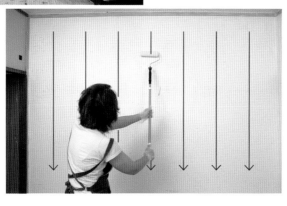

完成

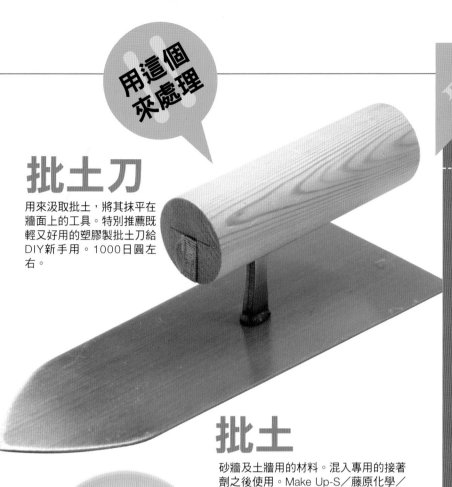

砂牆上有傷痕、污垢

DIY 自己動手修

砂牆上的污垢可以先用水把弄髒的部分打濕之後，再用刮刀等工具削掉，然後再塗上批土。如果是大範圍的傷痕則直接塗上水泥。只要能夠得心應手地使用批土刀和最後修飾用的攤平用抹刀，就可以把壁面抹平，呈現出自然的風貌。

大約的時間與材料費
時間：1小時（不含乾燥時間）
材料費：5000日圓

用這個來處理

批土刀

用來汲取批土，將其抹平在牆面上的工具。特別推薦既輕又好用的塑膠製批土刀給DIY新手用。1000日圓左右。

批土

砂牆及土牆用的材料。混入專用的接著劑之後使用。Make Up-S／藤原化學／2880日圓左右

污垢

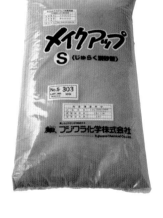
大範圍的傷痕

材料與工具

①批土　②塑膠容器　③批土刀
（塑膠製）　④攤平用抹刀　⑤批土板
⑥口罩　⑦橡膠手套　⑧免洗筷（除此之外還有報紙）

22

去除污垢之後抹上批土

22頁的材料、工具及刮刀（右）和馬蹄刷。

刮掉牆壁上的批土

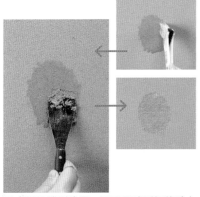

用水把馬蹄刷沾濕，再用馬蹄刷把牆壁上的污垢部分沾濕。然後馬上用刮刀把髒污的部分刮掉。

塗上批土

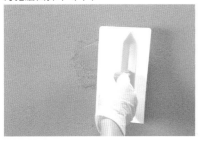

用批土刀塗上批土（上），再用攤平用抹刀把牆面抹平（下）。

攤平

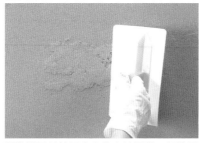

❶將攤平用抹刀由左往右地滑動，把牆面抹平。請細心地重覆以上的動作。

❷攤平之後的狀態。

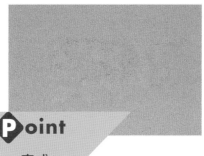

Ｐoint

完成

請注意，在牆壁完全乾透之前，千萬不要去摸。乾燥時間依商品及季節而異，請參照說明書。

修補大範圍的深刻傷痕

把批土放在批土板上

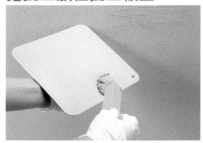

❶用批土刀把批土舀出來，放在批土板上。

塗在傷痕上

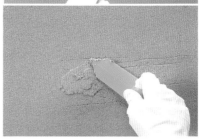

❷用批土刀取少量的批土，塗在牆壁的傷痕上。把批土刀由左往右移動（假設為右撇子），仔仔細細地抹平。

❸傷痕全部被塗滿的狀態。

在整面砂牆上油漆

如果是大片的污漬或全體的髒污，整個塗上一層室內乳膠漆是最有效率的方法。只要先塗上一層封固底漆（防滲漏劑），就可以防止斑點和皺紋的浮凸。至於油漆的工具，在牆壁周圍及細部的地方請使用馬蹄刷、大範圍的面積則使用滾筒式刷頭。

室內乳膠漆

除了和室等室內的牆壁（灰泥牆、土牆、砂牆、纖維牆）之外，也可以塗抹在壁紙上的水性合成乳膠漆。標準塗布面積為11～14平方公尺（榻榻米7～8.4塊）。有淺黃色、紅色等6種顏色。Interior Color・和室（鸚哥綠色、1.6公升）／3500日圓左右／朝日塗料

用這個來處理

大約的時間
時間：3小時（不含乾燥時間）

斑點

由於大範圍的斑點很難就部分去修補，所以乾脆直接整面牆重刷。

Point

將滾筒以M字形的方式移動，上下左右均勻地塗布開來。

材料與工具

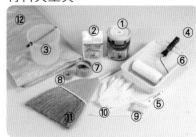

①水性油漆（室內乳膠漆）
②水性封固底漆（防止浮凸和斑點的填隙材料，也有防止油漆脫落的效果）
③塑膠容器　④滾筒式刷頭
⑤馬蹄刷（水性用，70mm）　⑥油漆盤
⑦遮蔽膠帶　⑧防護用膠條（25mm）
⑨免洗筷　⑩橡膠手套　⑪掃帚
⑫作業用帆布

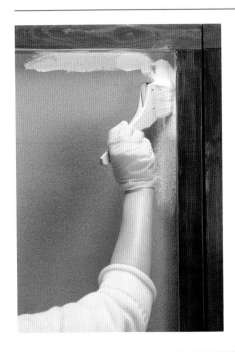

3 塗上封固底漆

封固底漆除了可以防止底漆劣化之外,還可以填補小洞或凹凸不平的地方,在塗上油漆的時候有助於提升效率和成果。先用馬蹄刷把不容易塗布的角落塗好之後,再將滾筒式刷頭以M字形的方式移動,上下左右均勻地在大範圍的面積上塗布開來。

塗上油漆
等到塗好的封固底漆完全乾了之後,再塗上油漆。

4

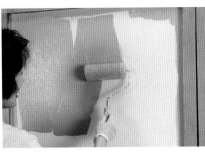

1 和塗上封固底漆的時候一樣,先用馬蹄刷把周圍塗好,接著再將滾筒式刷頭以M字形的方式移動,上下左右均勻地塗布開來。

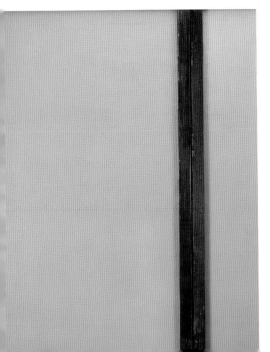

2 最後再輕輕地由下往上、由上往下移動滾筒式刷頭,塗布均勻。完成後請盡可能迅速地把防護用膠條撕掉。

在整面砂牆上油漆

1 先用掃帚把灰塵掃下來

在油漆之前,先用掃帚把灰塵等污垢清掃乾淨。

2 貼上防護用膠條

1 為了不要把封固底漆塗到柱子上,請先仔細地貼上防護用膠條,還要確實地用大拇指壓緊。

2 把作業用帆布鋪在地板上,用遮蔽膠帶黏貼固定。

在壁紙上再塗上灰泥

只要準備好買來時就已經用水攪拌均勻的灰泥，不但可以省下自己攪拌灰泥的時間，在一般家庭裡使用也很方便。先在塑膠材質的壁紙上塗一層防止掉屑的封固底漆，再用批土刀塗上灰泥。如果用批土刀覺得不太順手的話，最後可以再用滾筒式刷頭，如此一來便可以把大範圍的面積塗布得非常均勻。

用這個來處理

滾筒式刷頭

可以迅速地塗好大範圍的面積，不會留下刷毛的紋路，還可以留下細緻的凹凸不平，在牆壁上呈現出質感。刷頭有長毛、中毛、短毛之分，400日圓左右。

批土刀

用來挖取灰泥，把灰泥平整地塗抹在牆面上使用。1100日圓左右。

灰泥

自古以來就被使用在牆壁上，對於二氧化碳和甲醛的附著力、吸水性都非常好。以熟石灰為主要原料，再加上漿糊及纖維質，用水攪拌均勻的天然素材。

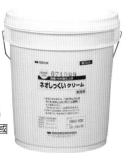

已調和的乳膠狀灰泥漆（白色）20kg（10平方公尺）／四國化成／14300日圓左右

大約的時間與材料費
時間：5小時（不含乾燥時間）
材料費：3萬日圓（約20平方公尺）

Point

用抹刀尖端的內側把灰泥鏟起來。

工具

①滾筒式刷頭（用於塗布封固底漆）
②油漆盤（滾筒用） ③橡膠手套
④大湯匙 ⑤飯匙
⑥滾筒式刷頭（短毛，用於灰泥的最後一道塗布，準備150、100mm各一）
⑦馬蹄刷 ⑧護目鏡
⑨防塵口罩（除此之外還有批土刀、批土板、遮蔽用帆布、梯子、打蛋器、抹布、免洗筷）

材料

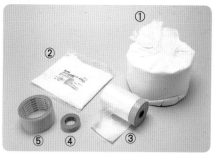

①灰泥（白色，買來時就已經用水攪拌均勻的種類）
②防止掉屑的封固底漆
③附有遮塵布的防護用膠條（210mm寬）
④防護用膠條（15mm寬）
⑤遮蔽膠帶（50mm寬）

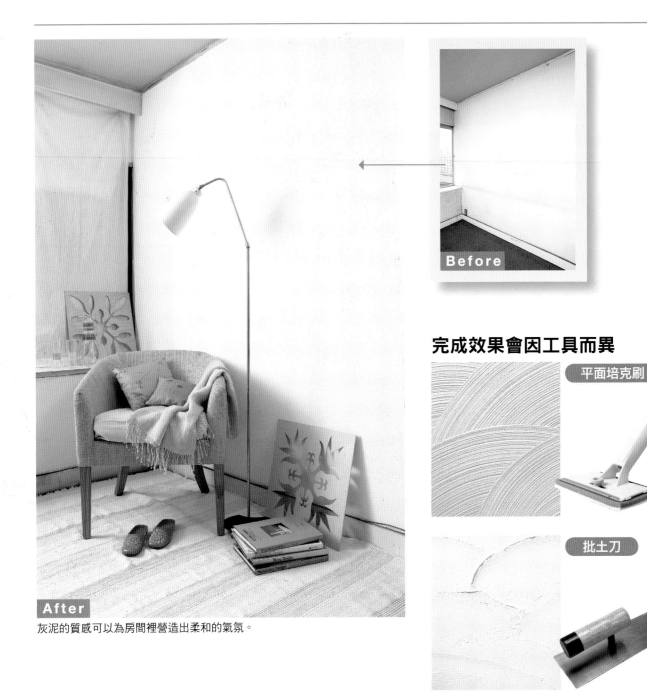

Before

After

灰泥的質感可以為房間裡營造出柔和的氣氛。

完成效果會因工具而異

平面培克刷

批土刀

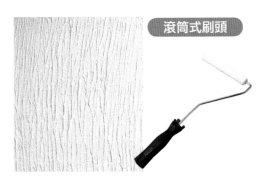

滾筒式刷頭

可以塗上灰泥的牆壁、不可以塗上灰泥的牆壁

◎ 塑膠材質壁紙、強度比較好的土牆、石膏板、砂漿牆面等等

✕ 布或紙的壁紙、塗布油漆的牆面等等
（有些只要經過處理還是可以塗布灰泥，請參照說明書）

在開始作業之前

壁紙如果有破損、破洞、縫隙、翹起的狀況，請參照8～11頁，在塗上灰泥之前先行修補。然後再用完全擰乾的抹布把灰塵或污垢擦掉。

1 作好遮蔽

把遮蔽用的遮塵布或防護用膠條貼在不想沾到灰泥的地方，作好遮蔽。

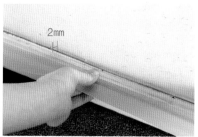

考慮到灰泥的厚度，請從牆面往外預留2mm的空間，在橫板貼上防護用膠條。

用附有遮塵布的防護用膠條把放在窗邊的櫃子包起來。

插座或開關之類的面板也要考慮到灰泥的厚度，在距離牆壁約2mm的地方用防護用膠條圍起來。

2 塗上封固底漆

請先塗上一層封固底漆作好前置作業，以免塗好灰泥之後，屑屑再從底下透出來。

■將封固底漆倒在油漆盤裡，把馬蹄刷放進去。

②用馬蹄刷把封固底漆塗布在轉角處及角落。

③大面積請以滾筒式刷頭處理。將滾筒式刷頭以M字形的方式塗布比較有效率。

④為了不要有沒塗到的地方，在塗布的時候請以上下的方向移動滾動式刷頭。乾燥時間會依商品而異，所以請參考說明書上的指示。

3 塗上灰泥

最後再塗上一層灰泥，整個厚度大約在2mm左右。

●攪拌灰泥

■用飯匙等工具把灰泥攪拌至乳膠狀。

②使用打蛋器的話，可以攪拌得更均勻。

●先打底

■用大湯匙等工具把灰泥舀到批土板上，再用批土刀的尖端內側把灰泥鏟起來。

②從牆壁的上方開始塗，天花板的部分則是從左邊塗到右邊。

Point 稍微把往前進方向移動的那一側的批土刀抬高一點，以按壓在牆壁上的方式滑過牆面。

28

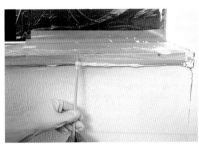

4 塗好之後，趁著灰泥還沒有完全乾透的時候就把防護用膠條給撕下來。以捲在免洗筷上的方式迅速剝除。

5 撕下防護用膠條之後，再用馬蹄刷把堆積在邊緣的灰泥給抹平。

大功告成了

●塗最後一層

1 將灰泥倒在油漆盤裡，把滾筒式刷頭放進去，讓整個刷頭沾滿灰泥。

2 轉角處及角落（狹窄的部分）請用100mm的滾筒式刷頭，把滾筒拿橫的移動塗抹。

3 大範圍的部分請使用150mm的滾筒式刷頭，由下而上，以滾動的方式塗抹。

手或衣服不小心沾到灰泥怎麼辦？

只要馬上用水洗就可以洗掉了。沾到手上的話請徹底地用水沖洗乾淨。沾到衣服上的話就比較難處理了，所以最好還是穿不怕弄髒的工作服來作業。

3 在角落處等直線部分請把批土刀倒著拿，從後面滑過去。

4 大範圍的面積請從上面以70～90cm寬為標準，由下往上以畫半圓的方式依序塗抹。

5 把批土刀從左邊滑到右邊，一路把灰泥攤平。

6 在橫板的附近把批土刀由下往上移動塗抹。

重貼牆壁上的磁磚

不用把現有的磁磚打掉，只要在上頭再貼上新的磁磚就行了。只要用多用途防水磁磚接著劑把磁磚貼上去，再用專門用來填滿溝紋的填縫膠把溝紋填滿即可。像是有插座等障礙物之類的部分，或者是為了設計上的平衡感，沒辦法用一塊磁磚就搞定的話，可以用磁磚切割器把磁磚切開。

大約的時間
時間：2天（不含乾燥時間）

材料與工具

磁磚、填縫膠、間隙控制材（寬2mm）、磁磚切割器
①多用途防水磁磚接著劑
（有也可以當雙面膠的種類跟可單獨使用的種類。如果是射入式的可以直接使用，如果是管狀的話請先擠出適量在板子上使用）
②超強力雙面膠（粗面用）
③鋸齒狀抹刀
④磁磚溝槽的專用著色劑
（有灰色、藍色、白色等等。整面牆的感覺會依照溝槽的顏色而產生變化。選擇深色的還可以讓髒污看起來比較不明顯）
⑤矽利康材質的封孔劑
⑥溶劑（丙酮、或者是亮光透明漆的稀釋液）
⑦防護用膠條
除此之外還有紙型、作業用手套、口罩、橡膠刮刀、刮刀、皮尺、填縫膠刮刀、塑膠布、鐵槌、金屬製的勾尺或直尺等等

用這個來處理

磁磚

可以大致地區分為室內用、室外用兩種。材質有陶器、瓷器、石器等等。以100mm的正方形為標準形，也有200mm的方形及腰帶磚、馬賽克磁磚等等。特別推薦用於廚房牆壁等室內用的陶土材質的磁磚。

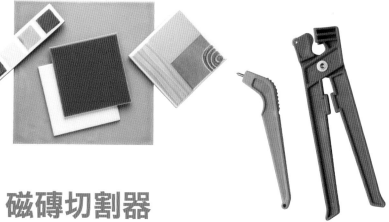

磁磚切割器

用來切割磁磚的工具。先用刀片在表面上畫好要割開的線條，再施加壓力切開。也有附有刻度的切割器。1000日圓左右。

間隙控制材

為了讓所有間隔的寬度都一樣的工具。有2mm、4mm等寬度，牆壁通常都使用2mm的間隙控制材。有溝槽的是正面。會直接填入填縫膠，所以之後不需要再拿出來。

刀片

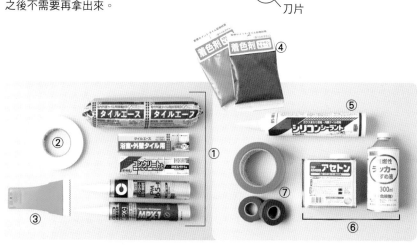

【注意】

如果原本的磁磚已經破掉了，或者是牆壁的硬度不夠的話，就不能直接重貼磁磚。所以請務必要好好地確認現有的磁磚狀態之後才能開始重貼。而且太重的磁磚也不適合，因為會有掉落的危險。

把磁磚重新貼過

請先確認底下磁磚的狀態，決定整體的設計之後，再依照需要的數量準備磁磚。由於在切割磁磚的時候有可能會不小心把磁磚弄破，所以請事先準備多一點。

1 確認底下的狀況

檢查磁磚有沒有破損、裂痕或浮起來，可以用鐵鎚的握柄敲敲看，如果有發出磁磚不是很服貼的聲音，可能是強度有問題，這麼一來就不能直接在上面再貼新的磁磚。

2 擬訂計畫

1.丈量欲重貼的範圍尺寸

2.思考呈現方式

將整體的尺寸除以「使用磁磚的一邊長度＋間隔寬」，計算出所需的磁磚數量。如果除不盡的話，可以用腰帶磚、馬賽克磁磚、或者是把磁磚切割開來用。也可以先畫出與實際大小相同的紙型來幫助思考。

3.購買磁磚

選擇室內用(牆壁用)的輕型磁磚。

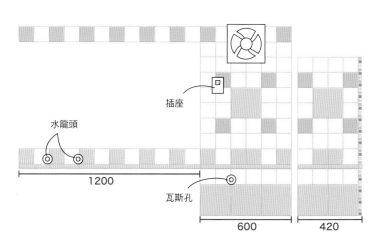

插座

水龍頭

1200

瓦斯孔

600   420

2. 貼上防護用膠條

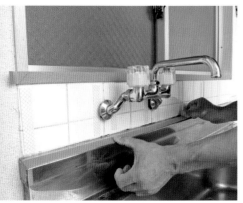

1 貼上防護用膠條，以免磁磚以外的地方去沾到接著劑或填縫膠。

2 用塑膠布把瓦斯孔和水龍頭包起來。

3. 畫上基準線

腰帶磚

1 以沿著流理台的邊緣張貼的腰帶磚為基準，抓出水平垂直線，然後再把磁磚貼在這條線的上下兩側。

2. 清除污垢

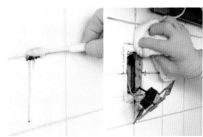

1 如果殘留有油脂或污垢的話，會破壞接著劑的黏性，所以請使用家庭用的清潔劑將其去除乾淨。隙縫裡的頑垢也要用牙刷等工具刷掉。

2 最後再用溶劑擦一遍，把污垢完全清除乾淨。在使用溶劑的時候要注意空氣的流通。

4 前置作業

1. 試著排排看

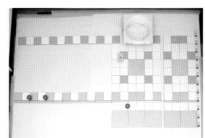

把買回來的磁磚照著紙型排在地板上。如果有插座、水龍頭的話，請事先確認好位置。因為要在磁磚上打洞是很困難的一件事，所以在排列磁磚的時候要多花點心思，讓上述的插座和水龍頭等落在磁磚之間。

3 調整底磚

1. 去除障礙物

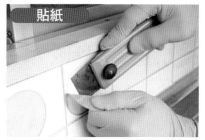

貼紙

用填縫膠刮刀把貼紙或貼紙的痕跡刮除乾淨。

插座

抽風機的罩子

請把插座的外殼和抽風機的罩子拆下來。

水龍頭

事先把水龍頭的底座轉鬆，瓦斯孔也一樣。

2. 貼上磁磚

1 將磁磚的下方頂著牆面,然後整個倒扣在牆面上。

2 一面上下左右地移動,讓接著劑均勻散開,使之密合。

3 用具有彈性的橡膠狀物體,例如螺絲起子的頭之類的,在磁磚上輕輕地敲打,使之固定。

3. 塞入間隙控制材

1 為了讓間隔的溝槽整齊劃一,請把間隙控制材塞入磁磚與磁磚之間的隙縫裡。

2 不是把磁磚全部貼好之後,再把間隙控制材塞進去,而是反覆進行「貼上磁磚→塞入間隙控制材」的動作。

5 貼上磁磚

1. 塗布接著劑

1 用鋸齒狀的抹刀把接著劑塗抹在牆壁上。只要把鋸齒徹底地貼在牆面上,就可以把接著劑均勻地塗滿一整面牆。

2 如果塗了太多的接著劑會延緩凝固,導致接著劑從縫隙裡跑出來,所以請注意不要塗得太厚。

【注意】
當接著劑沾到其他的磁磚上時,請馬上用乾布將之擦掉。如果已經凝固的話就要使用溶劑,或者是用美工刀的刀片處刮掉。

2 以皮尺丈量高度,再用金屬製的勾尺畫線。

3 有畫線的地方。

如果是也可以當雙面膠的接著劑

一面用雙面膠固定,一面等接著劑凝固。
※由於雙面膠不能用在瓦斯爐的附近,所以請使用可單獨使用的接著劑。

雙面膠

腰帶磚

1 把雙面膠貼在磁磚寬邊的內側。

2 把接著劑塗在雙面膠之間,再把雙面膠的剝離紙撕開,貼上磁磚。

3. 一塊塊地貼上去

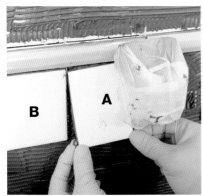

1 把磁磚B貼在原本用來固定磁磚A的地方，再把切割好的磁磚A貼在障礙物旁邊。

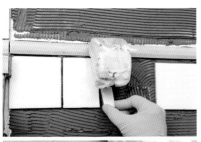

2 在障礙物的上下也貼好磁磚。

3 以這種手法依序把所有的磁磚貼好。靜置到接著劑完全凝固、磁磚完全固定。前述的時間會因季節而異，請參照說明書。

6 如何處理有障礙物的部分

1. 畫線作記號

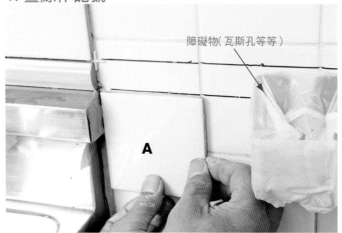

障礙物（瓦斯孔等等）

1 請在塗上接著劑之前先把要貼在有障礙物的地方的磁磚切割好。先把要貼在有障礙物的地方的磁磚A往旁邊移一格，用雙面膠固定上去。

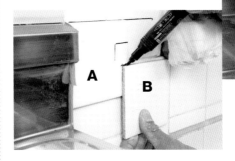

2 再把另一塊磁磚B對齊障礙物的上方，在固定住的磁磚A上畫橫線作記號。下面也一樣。然後再對齊障礙物的左邊，在磁磚A上畫直線作記號。把磁磚A拔下來。

2. 切割磁磚

1 對齊磁磚A上畫線的地方，用磁磚切割器由上往下劃下第一刀。

2 夾住磁磚，讓第一刀落在正中央，然後握緊把手，將其割開。水平的方向也以同樣的方式割開。

34

2. 注入封孔劑

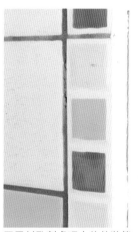

3 用刮刀把多餘的封孔劑刮除乾淨，趁著還沒乾之前趕快把防護用膠條撕下來。

1 用封孔劑把磁磚牆壁的邊緣及其與流理台的接縫處填滿，可以防止水分滲入。邊緣的兩側請先貼上防護用膠條。

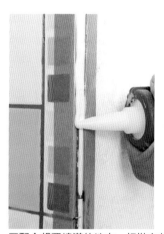

4 用封孔劑處理之後的狀態。

2 配合想要填滿的地方，把裝有封孔劑的容器尖端部分也剪成同樣的寬度，由上往下緩緩地注入封孔劑。

7 最後修飾

1. 把縫隙填滿

1 把填縫膠準備好，攪拌到用橡膠刮刀下去挖，可以一整坨的掉下去為最剛好的黏性。

2 用橡膠刮刀多挖一點填縫膠，填入溝槽。重點在於把刮刀以放倒的方式移動。

完成！

等填縫膠、封孔劑乾了之後就完成了。

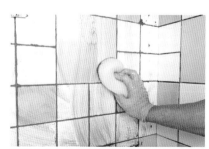

3 把含有水分的海綿用力地擰乾，擦去多餘的填縫膠。重覆以上的動作，直到把填縫膠全部擦乾淨為止。

壁紙

巧妙地用清水和
清潔劑交換著擦！

壁紙可分為塑膠材質的壁紙和纖維壁紙等等，一般最常用的塑膠材質壁紙可以用水擦拭。重點在於要把抹布徹底地擰乾。如果擰得不夠乾，讓抹布裡含有太多水分的話，就會讓壁紙帶著濕氣，這也是造成壁紙掀開或翹起的原因之一。如果只是指紋或煙垢的話，多擦幾次就可以擦掉了，但如果是頑垢的話，就要用稀釋之後的家庭用中性清潔劑，或者是壁紙專用的清潔劑。在噴上清潔劑之後，別忘了一定要把清潔劑完全擦乾淨。

由於壁紙是與地面呈90度的角度張貼，接縫處在垂直的方向，所以抹布移動的方向也不是左右，而是上下。因為抹布勾住接縫處也是造成壁紙翹起來的原因。而且壁紙不需要太頻繁地清潔，一年2～3次就行了。

●**防霉噴霧**（Johnson）
除了牆壁之外，像是衣櫃、榻榻米、鞋櫃等等，只要是擔心會發霉的地方都可以噴一噴。防霉效果約3個月。

最後再噴上防霉噴霧就萬無一失了。如果早就已經發霉了，請先把霉清乾淨，等到乾燥之後再噴上防霉噴霧。

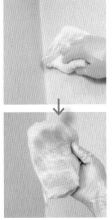

3

把專用的清潔劑噴在用力擰乾的抹布上，和**2**一樣，以上下的方向擦拭。

4

●**壁紙用清潔劑&保護膜**（RINREI）
用來消除煙垢、指紋、黏膩的污垢。另外還含有形成保護膜的成分，可以讓污垢不容易附著。

1 用雞毛撢子把牆壁上的灰塵拍掉。

把抹布沾水，用力擰乾之後擦拭乾淨。抹布要往上下的方向移動。

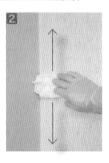

2

蠟筆等油性的污垢

蠟筆等油性的污垢用將蘇打水等弱鹼性的液體加以中和之後的液體來擦可以擦得很乾淨。蘇打粉同時也是食品添加物，所以沾到手上也不用擔心。

用抹布沾蘇打水擦拭。如果污垢很頑固的話請多擦幾次，直到顏色不會再沾到抹布上為止

蘇打粉（丹羽久）
從挖掘自內蒙古內陸錫林郭勒高原的天然礦石中提煉出來的蘇打粉。除了清潔以外，也可以用來洗碗盤或蔬菜等等。

地板

- 木質地板上有傷口、凹進去了
- 為整片木質地板打蠟
- 榻榻米燒焦、綻開
- 讓紙門、拉窗的開關更順暢
- 門檻上有傷口、破損

木質地板上有傷口、凹進去了

如果傷口不深，只要塗上筆型的修補劑，就不會那麼明顯了。如果深口比較深或者是凹進去的時候，請用刀子把蠟筆型的修補劑削在湯匙上，再用打火機加熱，使其溶解，或者是以專用的木頭用油灰來修補。只要發現的時候馬上處理，灰塵和污垢就不會堆積在凹槽裡面，平日的打掃也會變得格外輕鬆。

用這個來處理

筆型修補劑

可以重現顏色、圖案、木紋的修補劑。如果傷口不深，只要塗上就可以馬上掩蓋住傷口。捉迷藏迷你修補筆5色＋居家護理的迷你修補筆5色／2310日圓左右／建築之友

蠟筆型修補劑

最適合用來修補地板或桌面上比較深的凹陷的修補耗材。由於是硬式的蠟筆型，所以持久性也夠。亦可調色。捉迷藏（地板專用）／4色一組1732日圓左右／建築之友

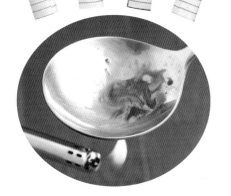

大約的時間
時間：各10分鐘左右

Point

把蠟筆型的修補劑削在湯匙裡，在下面點火加熱，使之溶化。

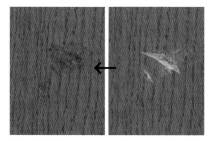

凹陷處②

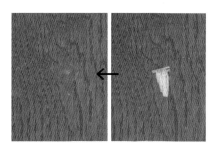

凹陷處①

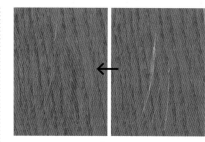

傷口

凹陷處 ②

材料與工具

木頭用油灰

刮刀

鋼絲研磨菜瓜布（0000號）
除此之外還有橡膠手套、抹布等等

1 把木頭用油灰注入凹陷處。

2 用刮刀把木頭用油灰抹平，再用濕抹布把從周圍滿出來的油灰擦掉。

3 等到木頭用油灰凝固之後，再用鋼絲研磨菜瓜布輕輕地刷，使表面平整。

凹陷處 ①

材料與工具

蠟筆型修補劑、
筆型修補劑、刮刀、美工刀、
湯匙、打火機

1 配合地板的顏色，用美工刀把蠟筆型的修補劑削到湯匙上，再用打火機加熱，使其溶解。

2 把修補劑注入凹陷處。

3 等到冷卻凝固之後，再用刮刀把多出來的修補劑抹平，如果顏色不太協調的話，再用筆型修補劑調整顏色。

傷口

材料與工具

筆型修補劑、棉花棒、
白紙、抹布

1 將筆型修補劑的顏色畫在白紙上，選出最接近地板的顏色。

2 沿著傷口塗上筆型修補劑，盡可能不要超出範圍。

3 塗完修補劑之後再用棉花棒暈開。超出範圍的部分則用抹布擦掉。

為整片木質地板打蠟

倘若整片地板看起來髒髒的或者是褪色了，可以在地板上打蠟。如果是天然的裝飾膠合木質地板（在膠合板上貼上一層薄薄的櫻木或欅木材質，表面再施以樹脂加工），請使用樹脂蠟。只要每半年打一次蠟，平常用濕抹布就可以輕鬆地把污垢擦掉，讓打掃變成一件輕鬆的事。

用這個來處理

滾筒式刷頭

可以迅速地搞定大範圍面積的工具。在打蠟的時候以短毛的刷頭比較方便。500日圓左右。

附有遮塵布的防護用膠條

捲成一捲，附有遮塵布的防護用膠條。遮塵布的寬度有55mm、1m等各種。200日圓左右。

大約的時間
時間：3坪的話約1小時（不含乾燥時間）

樹脂蠟

以樹脂塗裝的木質地板專用蠟。可以防止斑點或污垢附著，所以平常的保養只要輕輕地擦拭就行了。木質地板專用蠟／1580日圓左右／RINREI

門口

開始

上蠟時的重點

1. 請選在沒什麼風、天氣又好的日子進行。

2. 請先把灰塵和污垢完全清理乾淨之後再開始上蠟。

3. 上蠟的順序為從房間裡面往門口的方向進行。

如果地板很黑的話，請先把舊的蠟剝除

剝離劑

如果堆積了大量的污垢，使地板變黑的時候，請先用剝離劑把舊的蠟剝除之後，再打上新的蠟。

①用海綿沾取剝離劑，塗抹在地板上。大約5分鐘，老舊的蠟就會浮上來。

②把抹布沾濕，用力擰乾，在地板上擦拭，直到完全把剝離劑和蠟的成分擦乾淨為止。

把老舊的蠟擦掉之後，顏色完全不一樣了。

STEP2 上蠟

材料
樹脂蠟、滾筒用水桶、滾筒式刷頭、橡膠手套、湯匙

①用湯匙把蠟滴在地板上。

②標準的使用量為每四分之一坪約5湯匙的蠟，太多的話會塗得太厚，容易產生深淺不勻的斑點，敬請注意。由於會因商品而異，請遵照說明書上的指示進行。

③用滾筒式刷頭塗布轉角的部分。

④沿著木質地板上的木紋移動滾筒式刷頭，塗滿整片地板。如果出現氣泡，請把滾筒式刷頭的刷頭轉到固定，以不要讓刷頭轉動的方式前後推拉一遍。

STEP1 遮蔽工作

材料
附有遮塵布的防護用膠條、防護用膠條

①為了不把蠟打到橫板和牆壁上，請事先貼上附有遮塵布的防護用膠條加以遮蔽。把綠色的膠條部分確實地貼在與需要遮蔽的地方交界處。

②拉開遮塵布，用防護用膠條固定。

③上圖為房間全部貼滿防護用膠條的狀態。

打掃

在打蠟之前，請先用水稀釋地板專用清潔劑或家庭用中性清潔劑，把地板擦拭一遍。傷口和凹陷處請以專用修補劑修補。

榻榻米燒焦、綻開

裂開的榻榻米可以用手指沾取木工用的接著劑塗抹、按壓，只要把綻開的地方壓回去，就會變得比較不明顯。燒焦的地方請先用砂紙磨掉，再用透明指甲油修飾。至於大範圍的污垢或焦痕，則請先用一點水打濕之後，再把燈心草一根根地拔起來，用螺絲起子的握柄把空隙壓緊。

木工用接著劑

除了木材，也可以用來接著紙或布等等。由於是水性，雖然在凝固上會比溶劑型的多花一點時間，但是乾燥之後就會變成透明的，也不會有味道。由於乾燥之後還可以切割加工，所以常常被使用在木工上。木工用接著劑（180g）／346日圓左右／Konishi

大約的時間
時間：各10分鐘左右

螺絲起子

用來拴緊螺絲的工具。接頭的形狀會依廠牌而異，但是在用來修補榻榻米的時候，最好還是選擇底部比較粗的螺絲起子。

Ｐoint
抓住兩把螺絲起子的握柄互相推擠，把榻榻米的縫隙填滿。

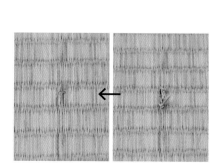

燈心草綻線

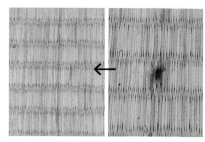

燒焦痕跡 ②

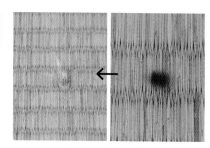

燒焦痕跡 ①

燈心草綻線

材料

木工用接著劑、抹布

1 直接把木工用接著劑塗在綻開的地方，以把燈心草壓平的方式抹開。

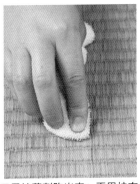

2 如果有木工用接著劑跑出來，再用抹布擦掉就行了。

4 用螺絲起子的握柄把兩邊的燈心草往中間推擠，一旦看不到空隙就大功告成了。

燒焦痕跡 ②

材料與工具

螺絲起子（2把） **錐子** **噴霧器**

1 沿著有燒焦痕跡的榻榻米垂直紋路，用噴霧器噴水，讓燈心草變軟。

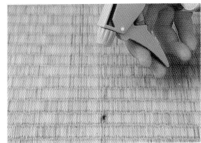

2 把錐子插入燒焦的部分，沿著垂直紋路，從這頭到那頭一根一根地把燒焦部分的燈心草拔出來。

3 把燈心草拔起來之後，再用噴霧器把水噴上去。

燒焦痕跡 ①

材料與工具

砂紙（150號）

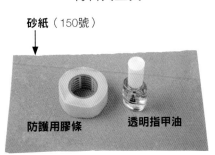

防護用膠條 **透明指甲油**

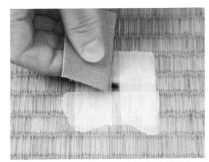

1 用防護用膠條把燒焦痕跡的周圍框起來，再用砂紙把燒焦的部分刮掉。

2 撕掉防護用膠條，把透明指甲油塗在燒焦的地方，再把綻開的部分撫平就大功告成了。

讓紙門、拉窗的開關更順暢

用砂紙把榻榻米突出來的燈心草或凹凸不平的地方磨平，再用蠟燭塗抹一遍，或者是貼上市售的門檻加滑膠帶。

門檻加滑膠帶

光是貼在門檻上，就可以讓開關門變得很順暢的木紋膠帶。只要把背面的隔離膠撕開，貼在門檻上即可。18mm寬×5.8m一捲。門檻加滑膠帶／川口技研／630日圓左右

砂紙

薄片狀的砂紙，寫在背面的數字稱之為「號數」，表示研磨劑的粒子粗細。以下只是要讓門檻變得光滑而已，所以180號左右的號數就可以了。

蠟燭

用這個來處理

只要把蠟燭塗在滑動不順暢的地方，就可以順利地開關了。除了門檻之外，紙門、拉窗也可以用同樣的方式來處理。

大約的時間
時間：10分

方法2　門檻加滑膠帶

把溝槽裡的灰塵和污垢完全清乾淨之後，再貼上門檻加滑膠帶。這時請務必要小心別讓灰塵或紙屑跑進膠帶裡。

方法1　蠟燭

把灰塵和木屑清乾淨之後，再把蠟燭塗在門檻的溝槽裡。

用砂紙把與門檻同寬的木片包起來，把門檻磨得平整光滑。

用這個來處理

門檻上有傷口、破損

樓梯或玄關的木頭部分的損傷可以用環氧樹脂的修補用黏土就可以填滿了。如果是範圍比較大的傷痕，只要整個貼上塑膠材質的角條，就會變得比較不明顯。

大約的時間
時間：各20分
（不含乾燥時間）

木頭部分的損傷

材料與工具

環氧樹脂的修補用黏土

塑膠手套

刮刀

除此之外還有砂紙（80號）、木片

1 將環氧樹脂的修補用黏土充分地揉捏均勻，塞入受損的部分。

2 用刮刀把多餘的修補用黏土刮掉，整理成直角。

3 等到修補用黏土變硬之後，再用砂紙把表面磨平，也可以用水性油漆來上色。

角條

用來覆蓋在牆壁或樓梯的直角部分。有鋁製的和塑膠製的等等，寬度也有12mm、25mm等，種類繁多。200～600日圓左右。

鋸子

雖然是用來鋸斷金屬的工具，也可以用在切割塑膠或竹子等材質上。和木工用的鋸子不一樣，以壓的方式鋸斷是其特徵。1000日圓左右。

門檻上的傷痕

1 配合門框的長度，用鋸子把塑膠角條切開。

2 把雙面膠貼在塑膠角條的背面，只要把損傷的部分全都蓋起來就大功告成了。

木質地板

不容易受傷，
常保光潔的方法

木質地板是非常受歡迎的素材，但是卻很容易累積灰塵、也很容易受到損傷，是其缺點。因此就算是想要好好地打掃，卻可能反而因此而造成損傷。不妨用廚房專用紙巾、或者是質地柔軟的刷子、塑膠材質的刮刀來清潔。打掃的基礎不外乎除塵、擦拭等等。除非真的很髒，否則是不需要用到清潔劑的，只要用水把廚房專用紙巾沾濕來擦就夠了。如果真的很髒，再把專用清潔劑或家庭用中性清潔劑加上10倍左右的水稀釋之後來擦，比較不會去傷到地板。另外，如果使用的是清潔劑，有時候可能會把地板上的蠟也一起抹掉，所以請再打上木質地板專用的蠟（參照40頁）。

〔接縫處的溝槽、地板與牆壁的交界〕

尼龍製的刷子
（為了不去傷到地板，請選擇質地柔軟的尼龍製刷毛）把刷子貼在角落，往水平的方向輕輕地刷。

塑膠製的刮刀
輕輕地貼在木質地板的溝槽上，把堆積在裡面的灰塵和污垢給清出來。

●魔術靈木質地板專用
亮光噴霧（花王）

木質地板、塑膠地板專用。在去除污垢的時候還可以同時帶出光澤。

只有在附著著污垢的地方，用徹底擰乾的抹布沾上木質地板專用清潔劑或以水稀釋的中性清潔劑擦拭。

把廚房專用紙巾固定在專用的靜電拖把上，噴上一點水直至微濕的程度。

沿著木質地板的紋路移動靜電拖把，把灰塵和污垢擦掉。平常的打掃只要這樣就夠了。

化學拖把的移動方向

化學拖把不需要沾水或清潔劑就可以直接使用，非常方便。只不過，移動拖把的方向就變得相當重要。由於灰塵會聚集在拖把的前方，所以請不要往後退，繼續往前推即可。一旦後退的話，好不容易吸附的灰塵就會又掉回地板上了。

窗戶門

紗窗上有洞

如果洞小小的，紗窗上的線也還沒斷掉的話，只要用包裝用的黏性較強的透明膠帶修補即可。如果是被香煙燒焦等比較大的洞，則可以善用紗窗專用的紗門紗窗修補片。先把洞周圍的灰塵和污垢擦乾淨，再從紗門或紗窗的兩面各貼上一片修補片，使其密合即可。

用這個來處理

紗門紗窗修補片

紗門紗窗專用的修補片，由一片上頭有網目的修補片和一片透明的修補片為一組。也有大片的、窗（門）框用的。強力紗門紗窗修補片／nitoms／各336日圓左右

●小小的洞

Point

先把洞周圍的灰塵和污垢擦乾淨，用錐子等工具把網眼修整一下，再剪下兩片同樣大小、黏性較強的膠帶，從紗窗的兩邊用力地黏緊。

●被香煙燒焦的洞

1 用剪刀把洞周圍的燒焦痕跡仔細地剪掉。

2 貼上修補用的膠片，像是要把洞補起來一樣。

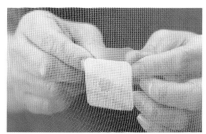

3 從另一面再貼上透明的膠片，用手指從兩邊用力地壓緊。

被香煙燒焦的洞

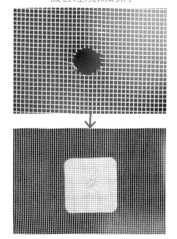

小小的洞

讓紗窗的開關更順暢

更換滑車。滑車可分為兩種，一是有用螺絲固定住的「固定式」、一是只要塞進去就算安裝完成的「插入式」。如果沒辦法把舊的滑車拿出來，只要把新的滑車裝在別的地方就行了。請先量好滑車部分的間隔寬度和深度之後，再選擇適合的滑車。

大約的時間
時間：10分

用這個來處理

滑車

滑車有各式各樣的形狀，所以在買的時候，可能很難找到一模一樣的。像這種情況，請選擇可以因應各種紗窗紗門的滑車。

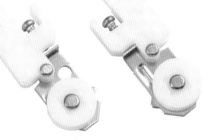

1 用皮尺量好滑車部分的間隔寬度和深度。

↓

2 把插入式的滑車插入隙縫間。如果沒辦法把舊的滑車拿出來，只要插在旁邊即可。

←

3 鎖緊附在滑車上的螺絲，以此調整滑車的高度。

紗窗破掉了

如果紗窗破了個大洞、或者滿是皺紋、膨脹鼓起的話，就必須整個換掉。請剪一塊比紗窗的尺寸還要再大5～10cm的紗網，再用專用的滾輪把「嵌入式膠條」塞入窗框內的溝槽裡即可。紗網有各式各樣的種類，像是不怕寵物抓的、耐熱的、阻止花粉進入屋內的等等，請選擇符合需求的紗網。

大約的時間

時間：3小時

●**如果是一般的紗窗**

過去蔚為主流的用聚氯乙烯製成的紗網已經愈來愈少人用，最近以耐用性較高的聚丙烯材質的紗網較為常見。紗網的顏色則以可以一眼看穿的黑色和灰色較受歡迎。一般的紗窗皆使用18～24網孔的紗網。

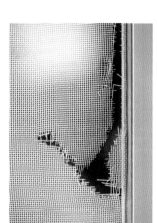

更換紗網的時機
一旦開口附近的紗網破損的話，就要儘快更換。。

用這個來處理

各式各樣的紗網

紗網的種類琳瑯滿目，有一面是黑色，一面因為經過不鏽鋼加工所以呈現銀色的雙面紗網，具有防偷窺的效果。亦有玻璃纖維製或不鏽鋼製的紗網，具耐熱效果，區區的煙頭並不會燒出一個洞。將聚酯纖維的材質鍍上一層聚氯乙烯的紗網可以對抗寵物的魔爪，不容易受損。91cm寬1m約300～900日圓左右。

●**檢驗網目的粗細**

代表網目粗細的「網孔」指的是1英寸（約25.4mm）見方的範圍內有多少直線、橫線的數量。數字愈大，表示網目愈細；網目愈細，表示愈不容易讓蟲子跑進來，但是和網目較大的比起來，通風的效果自然也會差一點。

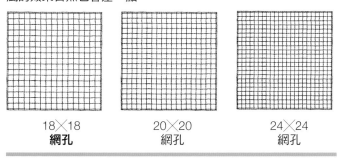

18×18 網孔	20×20 網孔	24×24 網孔

材料與工具

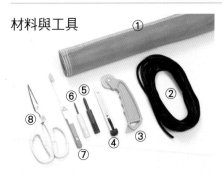

①紗窗的紗網（使用24×24的網孔）
②嵌入式膠條　③更換紗網專用的滾輪
④美工刀　⑤螺絲起子　⑥錐子（也可以用釘紙的錐子、可以扎透多層紙的錐子）　⑦牙刷
⑧剪刀（盡可能用金屬的剪刀）
除此之外還有遮蔽用帆布、抹布等等

把舊紗窗拆下

1 把紗窗從窗框裡拆出來。每家廠商的拆法都不太一樣，如果紗窗上裝有防拆卸的裝置，請先用螺絲起子把螺絲轉鬆之後，再把紗窗往上抬，即可拆下。

2 把紗窗放在遮蔽用帆布上，找出嵌入式膠條的開口，用錐子等工具把一端的膠條給勾出來，再用手整個拉掉。

●如何選擇紗網的尺寸

一般而言，紗窗的紗網約91㎝寬，但是也有133㎝、145㎝等等的寬度。以2～10m一捲的方式販賣。基於還要考慮到嵌入式膠條的部分，最好在紗網的上下左右各留5～10㎝的空間，所以在購買紗網的時候請把尺寸抓得鬆一點。

●如何選擇「嵌入式膠條」

「嵌入式膠條」是用來把紗網固定在窗框上的工具，由於時間一久就會失去彈性，所以請和紗網一併更換。所需的膠條粗細會依窗框的溝槽尺寸而異，不過通常是3.3～5.5mm的寬度。由於膠條在使用的時候多半都會變細，所以在購買的時候，請選擇比更換前還要稍微再粗一點的膠條。

●可以調整粗細的嵌入式膠條

可以從3.5～55mm調整粗細的嵌入式膠條。在不知道要選什麼尺寸的時候很方便。7m約300日圓左右（Dio化成）。

利用剝除膠條四周的方式來調整粗細。

5 滑動滾輪，把膠條壓進溝槽裡，一路壓到固定的地方。

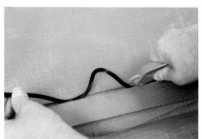

6 等到靠近固定的部分時，再把暫時用來固定住的膠條拉起來，滑動滾輪，把膠條壓進溝槽裡，直到角落。最後再來處理紗網鬆動的地方，所以就算在把膠條壓進溝槽的時候，紗網沒有拉緊也沒關係。

7 用滾輪上的刮刀把角B塞進L型的角落裡。

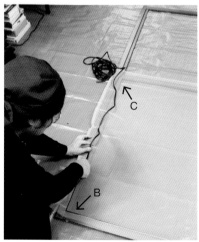

8 長邊木框（第2邊）也以同樣的方式固定之後，再滑動滾輪，把膠條壓進去。壓好一邊之後，再用滾輪上的刮刀把角C塞進L型的角落裡。

2 用剪刀在距離窗框5～10cm的地方把紗網剪開。

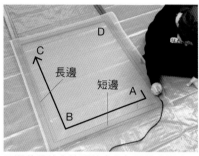

3 順著照片中箭頭的方向把膠條塞進去。一開始請從窗框的角落以L型的方向把膠條塞進去。

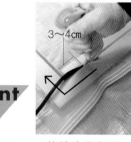

Point

以距離角A3～4cm的地方為起點，用紗窗專用的滾輪前端的刮刀把膠條壓進溝槽裡。慣用右手的人請以順時針方向、慣用左手的人則以逆時針方向把膠條塞進去

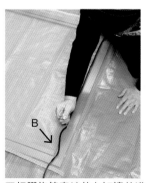

4 把膠條筆直地放在短邊的溝槽上，用滾輪上的刮刀把膠條塞進靠近下一個角B的部分固定，讓網子不要跑來跑去。

3 把膠條拆掉之後，再把舊的網子拿開。

Point

請用牙刷把卡在窗框溝槽裡的灰塵和污垢清出來，再用抹布把窗框上的污垢擦乾淨。

把膠條塞進第1、2邊

1 如圖把紗網捲起來的那一面朝下，讓網目與窗框平行，把紗網放上去。讓紗網從窗框的邊緣多出5～10cm的長度。

3 等到整面紗網都被拉緊之後，再從已經塞進去的膠條上面滑動一次滾輪，塞入膠條的作業就大功告成了。試著把滾輪放到紗網上看看，如果還有一點彈性的話，就表示鬆緊剛剛好。

把多餘的紗網剪掉 5

1 把剪刀拿斜斜的，從紗網的四個角往窗框的四個角落下刀。

2 從四個角的缺口部分插入美工刀，把多餘的紗網割下來。讓美工刀的刀片朝向窗框的外側，用一隻手把多餘的紗網稍微往窗框的外側拉，一面沿著窗框上方滑動割開。美工刀的刀片請勤勞地更換，好讓作業的時候能夠經常保持鋒利。

3 再用剪刀把跑出窗框的紗網剪掉就大功告成了。

3 把膠條塞到靠近終點的地方之後，用剪刀把多餘的膠條剪斷，再用滾輪上的刮刀把終點部分的膠條壓起去，把終點和起點的膠條接起來。

Point

如果紗網在終點的部分出現鬆垮垮的現象，再把起點側的膠條拆起來，把紗網拉緊之後，再次滑動滾輪，把膠條重新壓回去。

4 處理鬆弛部分

1 把一小段的膠條拆鬆，再把鬆弛部分的紗網往窗框的外側拉緊。

2 把紗網往窗框的外側拉緊，用手掌把鬆弛的部分推出去之後，再滑動滾輪，由上往下把膠條塞回去。如果還有其他沒拉緊的地方，也以同樣的方式反覆進行。

把膠條塞進第3、4邊 3

1 剩下的兩邊不需要事先固定，直接滑動滾輪把膠條塞入即可。

Point

把掌心放在窗框的外側上，像是輕輕地拉扯地紗網一樣，一次只壓入一個手掌份長度的膠條。一面移動手的位置，一面進行作業。

2 角D也同樣用滾輪上的刮刀把膠條塞進L型的角落裡。把手輕輕地放在上面，滑動滾輪，把膠條一路塞到一開始作業的地方。

Point

如果途中嵌入式膠條不夠的話，請補充新的膠條。先把一開始的膠條全都塞進溝槽裡，再從終點用滾輪上的刮刀把新的膠條塞進去，開始接上新的膠條。

把喇叭鎖換成 水平鎖

水平鎖

因為門鎖的關係，穿過門板本身的洞穴構造會因為門鎖的種類而異，基本上，一定要是同樣種類、同樣大小的門把才有辦法更換。因此，只要能夠精準地測量出門板的厚度、門扇的厚度、門板上的固定片寬度和長度、螺絲、螺母、門鎖套件的尺寸，準備好種類相同、構造一樣的門鎖，更換作業其實很簡單。

大約的時間
時間：3小時

更 換 前

用這個來處理

水平鎖

槓桿式的門把。鎖頭的種類五花八門，家庭中最常見的門鎖幾乎都是「管狀鎖」「圓筒鎖」「一體式鎖」「箱鎖」等等。只要鎖頭的構造是一樣的，就可以換成自己喜歡的樣式，例如從喇叭鎖換成水平鎖、或是從沒有鑰匙的換成有鑰匙的。

更 換 後

既好開又好關的水平鎖。只需要出一點點力氣就可以開門、關門，特別推薦給握力比較差的小孩子跟老年人。即使是兩隻手都拿著東西也很方便。

門鎖的種類與特徵

一體式鎖

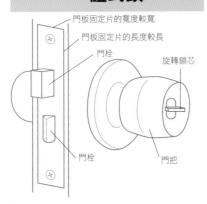

門板固定片的寬度較寬
門板固定片的長度較長
門栓
旋轉鎖芯
門栓
門把

門板固定片的寬度大約有25mm左右，比較大，由於還有用來上鎖的卡榫，所以門板固定片的長邊較長。鎖上與打開時都要旋轉內側門把上的旋轉鎖芯。

筒　錠

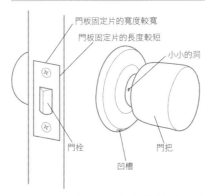

門板固定片的寬度較寬
門板固定片的長度較短
小小的洞
門栓
門把
凹槽

門把接底座的部分有一個小小的洞和底座上有一個凹槽是這種鎖的特徵。門板固定片的寬度大約有25mm左右，比較大。如果是可以上鎖的鎖頭，在內側的門把上會有按扭。

管狀鎖

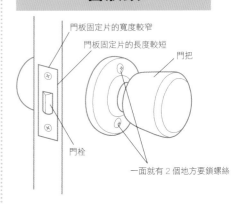

門板固定片的寬度較窄
門板固定片的長度較短
門把
門栓
一面就有2個地方要鎖螺絲

門板固定片的寬度只有22～23mm左右，十分狹窄，底座上有2根螺絲是其特徵，也有的會用蓋子藏起來看不到。如果是可以上鎖的鎖頭，基本上都會附帶可以旋轉上鎖的鎖芯。

箱　鎖

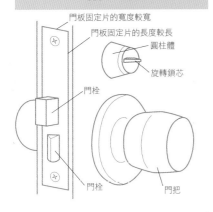

門板固定片的寬度較寬
門板固定片的長度較長
圓柱體
旋轉鎖芯
門栓
門栓
門把

鎖頭的構造和一體式鎖大同小異，也有多一個用來上鎖的門栓。只是一體式鎖的旋轉鎖芯是附在門把上的，而箱鎖則是另外裝，是其特徵。

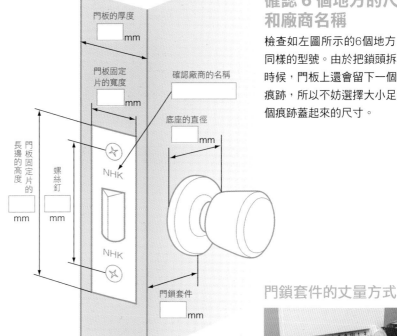

門板的厚度　　　mm
門板固定片的寬度　　　mm
確認廠商的名稱
底座的直徑　　　mm
長邊的高度　門板固定片的　　mm
螺絲釘　　mm
NHK
NHK
門鎖套件　　　mm

確認 6 個地方的尺寸和廠商名稱

檢查如左圖所示的6個地方，購買同樣的型號。由於把鎖頭拆下來的時候，門板上還會留下一個圓圓的痕跡，所以不妨選擇大小足夠把那個痕跡蓋起來的尺寸。

底座的丈量方式

垂直地把尺靠在門把底座的旁邊，再把皮尺水平地貼著上述的尺，測量出底座的直徑。

門鎖套件的丈量方式

把皮尺的尖端勾在門板的邊緣，測量從那裡到門把中心的長度。1～2mm的誤差可以當作沒看見。

② 輪流把鎖在外側（走廊側）底座上的兩根螺絲轉鬆，從下面撐住門把，水平地拆卸下來。

③ 門板固定片上的兩根螺絲也請以輪流轉鬆的方式拆下。

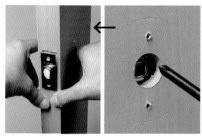

④ 把螺絲起子插入右圖所示的洞裡，以大拇指抵住門板的側面，再把螺絲起子往自己的方向拉，讓門板固定片鬆脫。

1 丈量尺寸，準備好更換零件

準備好要用來更換的零件，上圖是實際會換到的東西。圓圈圈內是門框側的零件，分別是放入卡榫的地方、門板固定片、螺絲。門框側的零件可以直接用原來的也沒關係，如果要換的話，請先換完門把之後再來換。

2 把門把拆下來，把螺絲孔填起來

① 從內側（房間側）的門把開始拆卸。輪流把鎖在底座上的兩根螺絲轉鬆。只要一面壓著門把旋轉，螺絲孔就能保持完好無缺。水平地把眼前的門把拆下來。

把管狀鎖換成水平鎖

更 換 前

卡榫的形狀是傾斜的三角柱形，往打開的方向比較高、往關上的方向比較低。由於這種門是從前面打開的內開式門鎖，所以開的方向是從門的內側（房間側）往裡拉。管狀鎖是由底座上的兩根螺絲固定在門板上的，有些會在上頭再加上一個蓋子。蓋子可以用一字形螺絲起子撬起來拆卸。

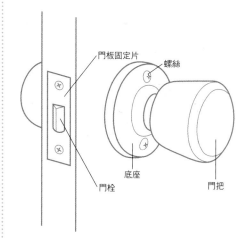

門板固定片　螺絲
門栓　底座　門把

材料與工具

● 十字形螺絲起子
● 牙籤
● 木工用接著劑
● 鐵鎚
● 砂紙（60號左右）
● 一字形螺絲起子
● 免洗筷
● 錐子

3 把中間的棒子（角芯）插入外側的門把上，把水平鎖拿成水平地插進卡榫的洞裡。用單手壓住底座，先用錐子打個洞，再輪流把上下兩根螺絲鎖緊。

4 內側的門把也插入角芯，和外側的門把一樣把槓桿式門把水平地鎖上螺絲。試著轉動幾次門把，只要卡榫可以順利地產生連動，再把門板固定片上的螺絲鎖緊就可以了。如果卡榫的連動不順暢，請試著把每一根螺絲都輪流轉鬆來調整，直到可以順利地轉動為止。

3 裝上水平鎖

1 把卡榫傾斜的那一面面向把門關上的這一側插進去。把免洗筷貼在門板固定片上，上頭用鐵鎚輕輕地敲打，直到完全插入為止。

2 先用錐子打個洞，再輪流把上下兩根螺絲鎖上去。由於最後還要重新鎖一遍，所以不用鎖得太緊。

更 換 後

5 抓住門板固定片往外拉，把卡榫拔出來。管狀鎖的特色就在於門板上的洞很小（直徑約10mm）。

6 用木工用接著劑沾在牙籤的尖端，插入螺絲孔中，用鐵鎚輕輕地敲打。然後把突出來的牙籤折斷，再用鐵鎚在表面輕輕地敲打，使其平整。如果洞太大的話，請再追加牙籤去填滿。另外一個螺絲孔也以同樣的方式補好。

7 試著把新的卡榫插進去看看，如果插不太進去的話，可以用砂紙把門板的洞擴大。如果有木屑殘留在洞洞裡，請用一字形螺絲起子將其清出來。

紙門破掉了

破了一個洞的紙門，怎麼看就怎麼礙眼。視破洞的大小，各有不同的修補方法。作法十分簡單，前提在於在貼上新的紙之前先把洞補起來。

※本書介紹的是本襖紙門的修補法。

漿糊

用來更換紙門或拉窗上日式和紙的漿糊。如果是本文所舉的範例，也可以把文具用的澱粉漿糊等加水溶解成3倍的量來用。
拉窗紙、拉門用紙的漿糊／160日圓左右／LINTEC Commerce

材料與工具

① 包裝紙
② 明信片
③ 拉門用紙的漿糊
④ 漿糊刷子（也可以用毛筆等等）
⑤ 美工刀

紙門的種類

紙門可因為構造或材質的差異而分成好幾種，最具有代表性的莫過於從以前流傳到現在的「本襖紙門」和近年增加的「戶襖紙門（板襖紙門）」。

戶襖紙門	本襖紙門

把木框簡單地組合起來，覆蓋上膠合板，再貼上拉門用紙的紙門。由於周圍的木框是一體成形的，沒辦法拆下來。	把木頭交錯地組合起來，先貼上一層稱之為茶紙的紙，再貼上拉門用紙的紙門。周圍的木框可以拆開來（參照63～65頁）。

大洞的修補

Before

表面的拉門用紙和裡面的茶紙都破了一個看得到對面的大洞。

剪下一張上下左右都比破洞的大小還要大上一號的包裝紙,在包裝紙的背面塗上漿糊,貼到紙門上。

After

完全把洞補起來了。

---

③把明信片整個插進去之後,再用手指移動可以看得到的明信片部分,把洞完全補起來。

④用刷子把漿糊抹在翹起來的拉門用紙背面。

⑤把手指頭按在翹起來的拉門用紙表面上,用指甲壓回去。

After

完美無缺地把洞補起來了。

小洞的修補

Before

開了一個小小的洞,表層的拉門用紙也捲起來的狀態。

①配合破掉的洞口大小,用美工刀把明信片割開。

②把割下來的明信片插進洞裡。

Ｐoint

由於表層的拉門用紙底下還貼有以前的拉門用紙(有時是好幾層的拉門用紙)或茶紙等等,所以明信片幾乎不會掉下去。

更換紙門上的紙

最近市面上有在賣一種用熨斗就可以貼上去的拉門用紙，可分為要用蒸氣熨斗糊上去的紙和用一般的熨斗就可以糊上去的紙，不管是本襖紙門還是戶襖紙門，張貼的方法基本上都是一樣的。不僅如此，還將為大家介紹本襖紙門的紙要怎麼貼。如果紙門上有破洞的話，在作業前請先參照58頁的要點，把洞補起來。

用這個來處理

用熨斗張貼的拉門用紙

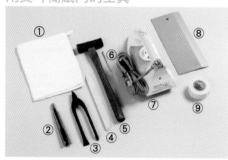

使用94×185cm，2張入的拉門用紙。這是用一般熨斗就可以張貼的種類。※購買前請先量好自家紙門的長寬尺寸，準備比量到的還要大一點的拉門用紙。這裡使用的是整面都是鴨跖草圖案的拉門用紙，因為是簡單大方的圖案，又沒有花紋，所以不用考慮到左右紙門的圖案有沒有接好，很適合DIY新手挑戰。
用熨斗張貼的拉門用紙／1700日圓／菊池襖紙門紙工場

用熨斗糊紙門的工具

①乾淨的抹布
②美工刀
③拉門把手用的拔釘器（沒有的話也可以用鑷子來代替）
④小竹板　⑤鐵鎚
⑥拉門把手用的打釘器（沒有的話也可以用比較長的釘子代替）
⑦熨斗　⑧裁邊尺　⑨防護用膠條
除此之外還有4個紙箱（或者是椅子亦可）、遮蔽用帆布（或者是報紙）等等

拉門把手用的拔釘器，前端故意作成比較容易抓住釘子的形狀。

大約的時間和材料費
時間：2小時（2扇份）
材料費：1700日圓（2扇份，拉門用紙費）

製作工作台

把從門檻拆下來的紙門放倒，進行作業。也可以在鋪著遮蔽用帆布或報紙的地上工作，但是因為站著處理會比較輕鬆，所以請作四個同樣高度的台子。這裡所使用的台子是紙箱，如果在上面鋪一塊膠合板會更安定，但是這樣就可以直接把紙門放上來作業了。

完成重貼作業的紙門。因為佔了室內很大的面積，十分顯眼，所以煥然一新的紙門會讓心情也變得愉快。

2 沿著紙門周圍的木框（外側），用美工刀把超出木框的拉門用紙切掉。

3 如果拉門用紙不是蒸氣熨斗用的，請把抹布打濕，稍微擰乾到水不會滴下來，把拉門用紙的表面整個擦過一遍，靜置3～4分鐘。

Point

注意不要讓紙上殘留有被水弄濕的痕跡。含有水分的紙會整個平均地伸展，乾了之後會收縮，可以變得更平整漂亮。

3 為框 作好防護工作

將防護用膠條在周圍的木框上貼一圈。

4 用熨斗貼上

1 拉門用紙都是捲成筒狀的在賣。請先把捲到的部分攤平，正面朝上，覆蓋在要更換的紙門上。小心不要把紙門的方向、以及拉門用紙的上下弄反了。

用熨斗張貼 拉門用紙

1 先把紙門擦乾淨

這次要換兩扇紙門的紙。請各自在拉門把手的上方用鉛筆寫下1、2的數字。從寫著1的紙門開始作業。將其從門檻上拆下來，用徹底擰乾的抹布擦拭周圍的木框。

2 把拉門把手拆下

1 把拉門把手用的拔釘器的握柄側的鐵撬部分插入拉門把手的邊緣，輕輕地從好幾個地方撬出縫隙。

Point

如此一來，拉門把手就會稍微浮起來，釘子的頭也會跑出來。

2 用拉門把手用的拔釘器（沒有的話就用鑷子）夾住釘子的頭，把釘子拔出來。通常都只有兩個地方會釘釘子。把釘子拔出來之後再用手把拉門把手拆下來。

6 裝上拉門把手，把膠帶撕掉

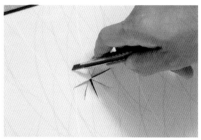

① 在要裝入拉門把手的地方（圓形凹陷處）的中央部分割出放射狀的牙口。圓的位置用手輕輕一摸就知道了。

② 把拉門把手塞進去，再把拆下來的時候拔起的釘子從原來的洞打回去。一開始只要用鐵鎚就行了，等到插入到一定程度之後，再使用拉門把手用的打釘器。如果沒有打釘器的話，可以把比較長的釘子反過來拿，也是個替代方案。

③ 撕下周圍的防護用膠條。把第一扇紙門裝回門檻上就大功告成了。第二扇紙門也以用樣的方法處理。

熨斗的移動方向
使用蒸氣熨斗用的拉門用紙時

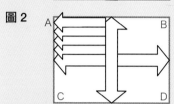

圖1

圖2

照圖1的順序，將蒸氣熨斗（或者是設定在蒸氣狀態的一般熨斗）以割十字架的方式移動，使之貼合。然後再依序在A～D的四個象限裡熨燙貼合（圖2）。這個時候，請一列一列地依序移動，這次熨燙的寬度要與上次熨燙寬度的一半重疊。基本上，蒸氣熨斗用的拉門用紙不需要事先讓紙沾有水氣。

5 剪掉多餘的紙

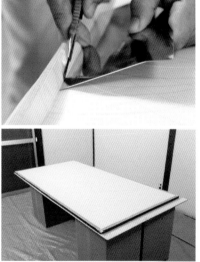

斜斜地把裁邊尺貼在木框的內側，用美工刀把多餘的紙切掉。如果是本襖紙門的話，請把美工刀的刀片往正下方插入割開；如果是戶襖紙門的話，必須把美工刀的刀片斜斜地貼著木框，保持一定的角度割開。

④ 靜置3～4分鐘之後，再用設定為中溫（非使用蒸氣熨斗的情況）的熨斗沿著框的內側（只有周圍）熨燙。在這個時候還不需要把四個角落都確實地熨到。而且不要用力地壓熨斗，而是利用熨斗本身的重量移動即可。

要剪開的線

⑤ 請用美工刀或剪刀斜斜地把拉門用紙的四個角落與木框重疊的部分剪開。小心千萬不要剪到木框的內側。

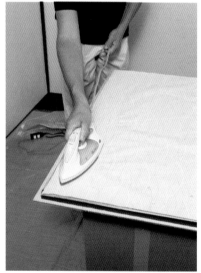

⑥ 確實地把熨斗按在四個角落，讓角落的拉門用紙徹底地貼合上去。只要用熨斗的尖端走一邊，就不會翹起來了。

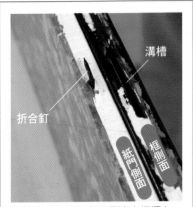

溝槽
折合釘
紙門側面
框側面

紙門本身和拆下來的長邊木框擺在一起看的樣子。把紙門本身側面的折合釘插入框側面的溝槽裡，利用把框往垂直的方向錯開，折合釘便會插進去，進而固定住。
※關於本襖紙門的構造，詳情請參照65頁的圖。

2 把鐵撬插入上框與紙門本身之間，用鐵鎚輕輕地敲打，好作出縫隙來，當縫隙擴大到某種程度之後，再用手拉開（上下框之間有用釘子固定住）。依照 **1**、**2** 的順序把剩下的框也拆開。

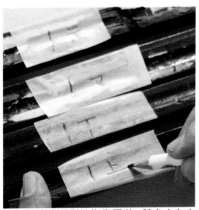

3 為了能夠順利地恢復原狀，請各自在木框上分別貼上防護用膠條，再寫上名稱。〈1-前〉的前指的是靠近拉門把手的長邊木框，〈1-後〉的後指的是另一邊的長邊木框。另外兩根則以上下為標示。

1 把框拆開

※以下是重貼兩扇紙門的浩大工程。和61頁一樣，請事先作好記號、清理乾淨。

1 把從門檻上拆下來的紙門橫放，從靠近拉門把手的長邊木框開始拆。把支柱放在框的上方前端，用鐵鎚敲打，讓框分開來，好進行拆卸工程。基本上，左右兩側的長邊木框只要從上面敲一敲就會分開來了。

本襖紙門的「換紙」與「重貼」

在本襖紙門蔚為主流的時候，一提到「換紙」，一般都會以為是「重貼」，其方法是把框拆開，在原有的紙上塗上漿糊，貼上新的拉門用紙。只不過，這種作法會讓拉門用紙的厚度隨著重貼的次數而變得愈來愈驚人，因此每隔幾次就要整個撕掉重貼一遍。撕掉重貼的作業需要熟練的技術，直到現在，很多人家裡的紙門還是會交給專門的裱框店換紙（如果只是要重貼的話也可以DIY）。

本襖紙門的紙要怎麼貼

大約的時間與材料費

時間：2小時半（2扇份）
材料費：900日圓（包含茶紙在內的紙費）

材料與工具

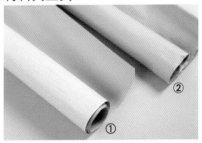

①拉門用紙
（1,920×960mm，選用2張入的。※購買前請先量好自家紙門的長寬尺寸，準備比量出來的尺寸還要大一點的紙）
②茶紙
（貼在拉門用紙底下的紙，600×450mm，準備6張入的各2捲。※以下每扇紙門都要用到6張，所以請準備多一點）

③乾淨的抹布
④拉門用紙專用的漿糊與油漆盤
⑤小竹板　⑥鐵鎚
⑦拉門把手用的打釘器
⑧拉門把手用的拔釘器
⑨鐵撬（內裝用）　**⑩美工刀**
⑪撫平刷
⑫漿糊刷（2把）
除此之外還有支柱用的木材、防護用膠條、鉛筆等等

3 剪裁拉門用紙，沾上漿糊貼好

1 把拉門用紙攤開，再把紙門放上去，上下左右各留約1cm的空白，用美工刀把周圍的紙裁掉。

2 在拉門用紙的背面寫上1，用來對應紙門的右上角（作有記號1的地方）。

3 把漿糊塗在拉門用紙的背面上。先在周圍約1cm寬的地方塗上漿糊，然後再全部抹上用水溶解的漿糊。之後靜置3分鐘，再把拉門用紙展開。漿糊與水的比例請參考所使用的漿糊的說明書。

3 讓紙門靠牆站立，使用撫平刷，從紙門的左上角把茶紙貼上去。要讓茶紙超出紙門本身的上下左右各約5cm。然後再把第2張茶紙從右上角貼上去，接著貼第3、4張（第2張的左側要與第1張的右側重疊，第3張的上面要跟第1張的下面重疊約1cm。不要讓底下的拉門用紙露出來）。

4 貼好4張之後，再把紙門上下顛倒過來，在紙門的下半部也以同樣的方式貼好。一開始用鉛筆寫在拉門用紙靠近右手上方的記號1可能會不見，所以請在茶紙上面同樣的地方也作上記號。

2 貼上茶紙

1 把紙門用紙和茶紙上的捲過痕跡撫平。茶紙是用來貼在新的拉門用紙的下面。隔著一層茶紙，就不用擔心舊的拉門用紙上所沾染的污垢會浮到新的紙上了。

2 用漿糊刷在茶紙的周圍塗上一圈寬約5mm的漿糊。請使用未經稀釋的漿糊。

Point

把漿糊沾在刷子的尖端，以輕拍的方式塗上。一次一邊，以旋轉茶紙的方式將漿糊抹上。

2 上下的框請從另一邊敲打釘子，把釘子的頭敲出來。

3 把上下的框放回原本的位置上，用鐵鎚把**2**突出來的釘子頭敲進去，和本體固定之後就大功告成了。

4 裝回木框

1 從拉門把手側的長邊木框〈1-前〉開始組裝。把支柱貼在拆卸時的另一邊上，用鐵鎚敲進去。〈1-後〉也以同樣的方式組裝。

4 把拉門用紙重疊在立起來的紙門（茶紙）上，讓紙張超出紙門的上下左右各約1cm。從上半部的中央用撫平刷把空氣往左右兩側趕出去。

5 在折合釘探出頭的側面，用美工刀把紙稍微割開一點，用小竹板把紙塞進去。

6 用美工刀把四個角落的多餘紙張切掉。把紙門放倒，依62頁的手法裝上拉門把手。

本襖紙門的構造

本襖紙門是用折合釘把長邊的木框固定住的紙門，也有用螺絲釘加以固定的類型。用來固定上下木框的釘子稱之為平巴釘（釘子的頭比較小）。其中也有上下左右的框都是用平巴釘來固定的種類。

●螺絲釘式

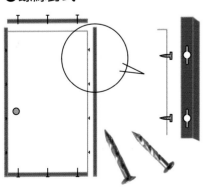

●折合釘式

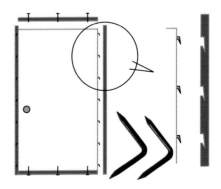

更換拉窗上的紙

拉窗紙的更換是一年一度的盛事。自古以來，換上全新的拉窗紙來迎接新年的心情從來都沒有變過。即使是在年底忙得焦頭爛額的時期，只要使用捲筒狀的拉窗紙，就可以很有效率地更換完畢。除了要介紹以極少的工具就可以輕鬆地換好拉窗的紙之外，也要帶大家了解如何漂亮地把舊的拉窗紙撕下來的技巧。

大約的時間與材料費
時間：2小時
材料費：900日圓

拉窗紙用的漿糊

無需刷子，打開即用的拉窗紙膠／280日圓左右／大直

撕除的工具

①海綿　②抹布　③湯匙

張貼工具

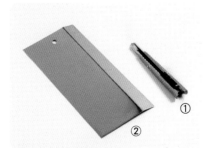

①美工刀　②裁邊尺

用這個來處理

拉窗紙

94cm×7.2m。附有膠帶。只要從拉窗的上方往下滾動就可以貼好了。
好貼好撕的拉窗紙／600日圓左右／int

也有不使用漿糊，而是以熨斗貼上的拉窗紙

最近也開始販賣可以用熨斗貼上的拉窗紙。在撕下來的時候也只要用加熱過的熨斗掃過一遍，就可以慢慢地撕下來。

④把漿糊塗在窗框上，一面把紙張開，一面用手在紙上輕輕地按壓，使之貼合。把窗框分成三等分，重覆同樣的動作，直到貼完一整片。

⑤將美工刀沿著窗框的邊緣把紙裁斷。然後再用裁邊尺貼著紙張凹陷處的外側把四邊切掉。等到把多餘的紙裁乾淨之後就大功告成。

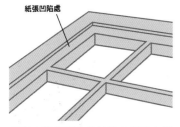

紙張凹陷處

紙張凹陷處

紙張凹陷處指的是拉窗內側貼上拉窗紙的部分比外側的窗框還要稍微低一點的地方。用眼睛看、用手摸就可以看／摸得出來。

用漿糊把拉窗紙貼上

①把拉窗紙放在背面朝上平放在地上的拉窗邊緣（拉窗的上方）。直接拿著整捲的拉窗紙，一面轉動一面張開。

②把拉窗紙一邊的正中央對準拉窗上方的正中央，用拉窗紙附的膠帶固定。把紙攤開約50cm，再把靠近自己身體這邊的紙調整到與窗框平行的位置上，如上圖所示，用手指頭壓住紙的角落。

Point

必須對準窗框把紙平行放好，以免紙在攤開的過程中跑到窗框外面。

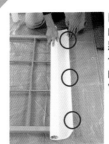

③繼續用手指壓著紙的一角，把紙捲回原狀。讓紙保持在這個位置上，用膠帶將紙的左右（兩端）貼在窗框上固定。

高明的撕除方式

①把拉窗從門檻上拆下來，背朝下放好，用含有水分的海綿順著窗櫺擦拭加濕。從角落的部分慢慢地把拉窗紙一點一點地撕下來。

②再用海綿把黏在窗櫺上的紙沾濕，用湯匙的邊緣刮起來。然後再用擰乾的抹布擦拭整個窗櫺。

③把含有水分的窗框放在陰涼處晾乾。如果讓太陽直射的話，可能會扭曲變形，敬請留意。

用貼布法可以有效率地
清除難纏的頑垢

靠近房間的窗戶之所以會髒，主要是沾上了灰塵或指紋、油污等等，如果家裡又有老煙槍的話，就連壁紙也一樣會附上煙垢，所以只要噴上清潔劑，就會有咖啡色的污漬浮現出來。對付難纏的頑垢，只要把玻璃專用清潔劑倒在廚房專用紙巾上，再貼到窗戶上即可。由於不是直接把清潔劑噴在窗戶上，所以不必擔心清潔劑會四處飛濺。也由於污垢會附著在紙巾上，所以不用擦拭就可以把污垢清乾淨，也比較省力。把清潔劑全部擦乾淨之後，再用玻璃刮刀把水氣刮掉即可。

外側的窗戶請把窗戶關上之後噴水，先把比較大的風沙灰塵沖掉，再貼上廚房專用紙巾靜置一會兒，然後用水沖乾淨，最後再用玻璃刮刀把水氣刮掉即可。

4

經過約10分鐘後（污垢很嚴重的話約20分鐘）再取下廚房專用紙巾。用噴霧器把水噴到窗戶上，好把清潔劑給沖下來。

2

把廚房專用紙巾鋪滿在塑膠容器裡，倒入玻璃專用清潔劑。

3

1

事先用濕抹布把污垢輕輕地擦掉。

把**2**的廚房專用紙巾一張張地貼在窗戶上。

●玻璃魔術靈（花王）
窗戶、玻璃櫃、鏡子等都可以使用的清潔劑。如果要用噴的話，每平方公尺約噴6次。

5

用玻璃刮刀把水分清除乾淨。

玻璃刮刀的使用方式

如果刷到一半停下來的話，水分就會積在那裡，沒辦法把水分清除乾淨。所以請按照右圖的順序，往一定的方向移動，中途不要讓玻璃刮刀停下來，一路拉到底。

家具

如何讓桌面光可鑑人

如何讓桌面光可鑑人

用砂紙研磨機把附著在桌面上的杯底痕跡、斑點、傷痕等研磨拋光，再塗上著色劑即可。可以打磨拋光的木材為原木板、人造板、一般的膠合板等表面沒有經過樹脂鍍膜加工處理的材質。只要在表面上塗上一層清漆，就比較不容易沾附污垢或損傷。

砂紙研磨機

電動的銼刀。藉由附有砂紙的橡皮墊在材料上震動，加以研磨。在研磨大範圍的面積時十分方便。砂紙研磨機會因為研磨部分的形狀而分為四角形的「軌道式砂紙研磨機」、圓形的「無軌道砂紙研磨機」、三角形的「三角洲砂紙研磨機」等等。

砂紙
（紙銼刀）

表面上附有研磨粒子的紙狀銼刀。每一張砂紙上都有「號數」，代表研磨粒子的粗細。號數愈大的粒子愈細。各30日圓左右。

大約的時間與材料費
時間：2小時（不含乾燥時間）
材料費：5000日圓

原子筆的刮痕　　斑點　　杯底痕跡

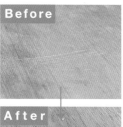

砂紙研磨機的使用方法

① 將砂紙剪成砂紙研磨機的大小，裝在橡皮墊的部分上。砂紙用剪刀剪的話會傷到剪刀，所以請抵著什麼東西用折的將其折斷。

② 兩邊都用夾子固定住。

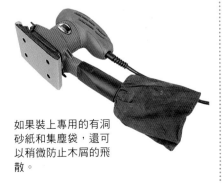

如果裝上專用的有洞砂紙和集塵袋，還可以稍微防止木屑的飛散。

塗料的種類

著色劑
（stain）

著色劑可以讓木紋更加明顯。有油性和水性的。

清漆

等於是在表面上塗一層膜。清漆有透明和有顏色的。分為水性、油性、有亮光、無亮光等等。

亮光透明漆

也是在表面上塗一層膜，但是比清漆還快乾。塗上亮光透明漆之後的感覺非常乾淨俐落，亦具有持久性。

剝離劑

把舊的油漆撕下來的藥品。用來撕除氨基甲酸酯塗裝等以打磨的方式不容易去除的薄膜。

稀釋液

用來稀釋塗料的溶劑。油性塗料請用油漆稀釋液，而亮光透明漆則使用亮光透明漆專用的稀釋液。

蠟

用來為表面帶出光澤。有液體、固體、噴霧式的蠟。

桌面的種類

●適合打磨的材質

原木板

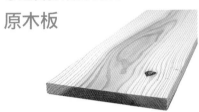

指的是從一整塊天然木頭上切下來的木材。會根據不同的樹種散發出獨特的風味。

人造板

將方形木材或板材曬乾之後，把枝枝節節的地方切掉，依照木紋的方向平行拼接的木板。

●不適合打磨的材質

天然木薄片膠合板

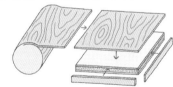

像削蘿蔔一樣地把圓木削成0.2～1mm的厚度之後，再貼在膠合板上的木板。如果桌面的表面和木材的切口上沒有連續性木頭紋路的話，就是薄片膠合板。

裝飾膠合板

把印花紙或塑膠布貼在膠合板上的產品。

氨基甲酸酯塗裝桌面

用氨基甲酸酯樹脂在木頭表面塗上一層膜的木板。滴幾滴水試試，如果過了很久水滴還在的話，幾乎都是氨基甲酸酯塗裝桌面。

①用砂紙研磨機研磨桌面

請準備80、120、240號等3種砂紙。一開始先用號數最小（80號）的砂紙來研磨桌面，再用120號、240號重覆同樣的作業。由於會噴出一些木屑，所以請戴著護目鏡和防塵口罩之後再開始進行。

1 把砂紙（80號）裝在砂紙研磨機上，慢慢地在桌面上移動，加以研磨。

Point

把砂紙研磨機拿在慣用的手裡，再把另一隻手靠在上面，進行作業。與木紋平行，大動作地前後移動。因為會產生大量的木屑，所以建議在室外作業。

2 當污垢和傷痕比較嚴重的時候，請使用砂紙研磨機的邊緣，把那部分直接削下來。

3 帶點弧度的邊緣請用具有彈性的海綿部分打磨。

4 先用80號的砂紙把傷痕和污垢大致清除乾淨之後，再使用120號、240號的砂紙進行研磨，讓表面更加光滑。

原子筆所造成的凹陷

把抹布打濕，放在凹陷的部分，用熨斗從上面加以熨燙。讓木頭的纖維裡含有水分之後，再用熨斗按壓。如果是輕微的凹陷，這麼作就可以恢復原狀了。

---

②塗上著色劑

由於水性著色劑可以加水稀釋來使用，特別推薦給DIY新手。請參考樣本的色澤，先在比較不顯眼的地方試著塗塗看。

材料

水性著色劑和布

1 用乾的布把桌面上的木屑清除乾淨。

2 把水性著色劑加水稀釋，塗在多出來的木頭上，藉以確認色澤。以淡一點的顏色反覆塗布的方式，可以讓成品更加完美。

3 把水性著色劑沾在布上，以磨擦桌面的方式塗抹。記得要沿著木紋塗布。覺得顏色比較淡的時候，請在完全乾燥之後重覆塗布。

⑤塗上最後修飾的清漆

為了不要讓灰塵和研磨時的屑屑留在桌面上，請先用乾布擦過之後，再塗上清漆。雖然也可以只塗一次，但是多塗幾次的話可以增加厚實的感覺。

1 用乾布把桌面擦乾淨。

2 以同樣的手法塗上清漆，靜置晾乾。

④研磨拋光

等到桌面完全乾了之後，再次研磨拋光。這裡所使用的砂紙是粒子更細的320號。

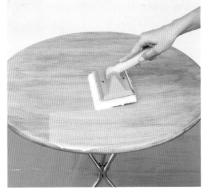

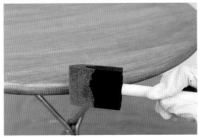

3 將平面培克刷沿著木紋移動，塗抹均勻，不要留下凹凸不平的痕跡。桌角用海綿刷會比較好塗。

和前面的步驟一樣，把砂紙安裝好之後，再將整個桌面研磨拋光。

③塗上清漆

為了讓桌面出現光澤，可以用透明的清漆來作最後的修飾。比起用一般刷子塗抹，改用平面培克刷和海綿刷來塗布可以塗得比較均勻。

材料
水性氨基甲酸酯清漆、平面培克刷、海綿刷

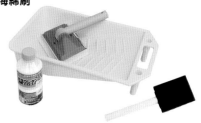

1 讓平面培克刷充分地沾滿清漆之後，再把多餘的清漆甩掉。

2 先在多出來的木材上試塗看看。

家電產品基本上都不可以用水擦。如果是細微的污垢或灰塵，可以用乾擦專用的抹布或利用靜電來吸附灰塵的化學纖維雞毛撢子、棉花棒等等。另外像是很容易積灰塵、卻很不容易清潔的電腦鍵盤，則要先用空氣除塵槍把灰塵噴出來之後，再用棉花棒把細微的污垢清除掉。

電腦、
電話的縫隙

使用方便的工具
就能輕鬆打掃乾淨

輕輕地轉動化學纖維雞毛撢子的握柄，使之產生靜電之後，再把灰塵吸起來。

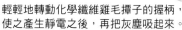

●無氟碳化物的空氣除塵槍（Nakabayashi）
可以用來清除電腦、滑鼠等機器上的灰塵。即使倒過來，裡面的液體也不會滲出。也可以用來清理窗扇的溝槽。

用沒有絨毛的棉布把整個擦過一遍之後，再用空氣除塵槍把灰塵噴出來。

印表機也以同樣的方式清潔。

用化學纖維的雞毛撢子把螢幕上的灰塵撢掉。

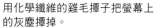

用棉花棒把卡在鍵盤隙縫間的細小污垢給清出來。

電話、傳真機也用棉花棒處理

卡在電話的液晶螢幕縫隙中的污垢請用棉花棒處理。而卡在按鍵中的灰塵也可以用棉花棒仔細地清理。

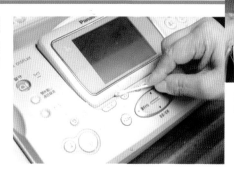

打開傳真機的蓋子，用棉花棒把卡在送紙槽裡的污垢給清出來。

屋裡屋外1

速度變化的構造

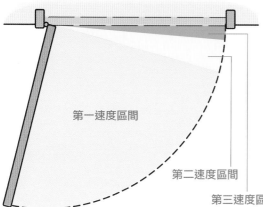

第一速度區間
第二速度區間
第三速度區間（閉鎖行動區間）

第一速度區間是從開始關門到距離門板約10度的地方，第二速度區間指的是從距離門板約10度的地方到真正關上的區間。如果速度調整螺絲有3個的話，還可以調整第三速度區間（閉鎖行動區間＝從約2度的地方到門真正關上的區間）的速度。

※左圖以往右開的門為例。

門總是砰地一聲關上

門關上的速度可以利用調整自動閉門器的速度調整螺絲來調整。當「門總是砰地一聲關上」的時候不妨試試看。附在自動閉門器上的速度調整螺絲有1個～3個之分。

在旋轉速度調整螺絲的時候，請使用大小剛好可以插進螺絲溝槽裡的螺絲起子（一字形或者是十字形），而不要直接去撞擊調整閥的螺絲頭，對著螺絲頭以水平的方式旋轉。請注意，如果往左邊轉過頭的話，會把調整閥拆下來，導致裡面的油漏出來，所以請記得往左邊轉的時候不要超過2圈以上。

速度調整螺絲有3個

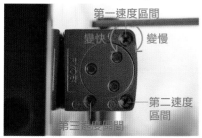

第一速度區間
變快　變慢
第二速度區間
第三速度區間

假設自動閉門器有3個的話，幾乎所有的調整閥溝槽都要用十字形螺絲起子來處理。在3個調整閥的附近各印著①～③的數字，①(2)分別對應第一、第二速度區間，③則對應到第三速度區間（閉鎖行動區間）。如果速度太慢的話，門就會關不緊，可能會無法上鎖。每一個調整閥都是往右轉速度會變慢、往左轉速度就會變快。

速度調整螺絲有2個

第二速度區間
變慢
第一速度區間

在調整閥的附近刻有①②的號碼（或者是貼有這樣的貼紙）。如果什麼記號都沒有的話，請隨便調整一個，依照速度的變化來判斷其是屬於第一速度區間還是第二速度區間。假設①為第一速度區間、②為第二速度區間，請各自調整相對應的速度。同樣都是往右轉會變慢、往左轉會變快。在調整的時候請一面開門關門，一面因應其速度作調整。

調整閥只有1個

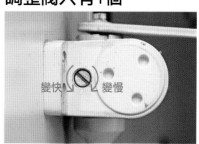

變快　變慢

把一字形螺絲起子插入調整閥的溝槽裡旋轉。在第一速度區間裡，只要把調整閥往右（順時鐘）轉就會變**慢**、往左（逆時鐘）轉就會變**快**。請把門開開關關地反覆調整，直到速度剛剛好為止。至於第二速度區間的調整，則在調整完第一速度區間之後，再改變溝槽的『方向』即可。當調整閥的溝槽愈是與地面平行，速度就愈慢；愈是垂直的話，速度愈快。由於是在90度以內的調整，所以幾乎不會去影響到第一速度區間。

鎖不好開

鑰匙不容易插進鑰匙孔裡，或者是插進鑰匙孔裡的鑰匙無法順利轉開的時候，就要保養鑰匙和鑰匙孔的周圍了。請善用鑰匙孔用的噴霧或鉛筆的筆芯等等。如果用了這兩樣法寶還不能修好的話，就表示可能是鑰匙本身的磨耗或鎖頭內部的損傷，這時候就要請專業的來修。

大約的時間：**1分鐘以內**

用這個來處理

鑰匙孔用粉狀噴霧

可以把揮發性的清潔劑和硼砂（氮化硼）噴入鑰匙孔裡的噴霧器。上述的成分在洗淨鑰匙孔內的污垢之後會自行揮發，殘留的硼砂則會讓鑰匙孔變得更為潤滑。鑰匙孔的特效藥II．17ml／1000日圓左右／建築之友

鉛筆

準備2B以上的深色鉛筆，用筆芯來讓鑰匙孔裡面變得潤順。

用美工刀把筆芯的部分削成粉末狀。

●利用鉛筆的筆芯

1 把筆芯的粉末撒在鑰匙上。

2 把鑰匙插入鑰匙孔裡，反覆插入拔出。

●利用噴霧

1 對著鑰匙孔噴1秒左右。

2 用布把流出來的部分擦掉。

注意 請別把潤滑油注入鑰匙孔內！

不可以把潤滑油或機油等油脂注入玄關大門的鑰匙孔內。這是造成黏膩、灰塵及污垢附著的原因之一。

更換自動閉門器

如果當轉動速度調整螺絲（調整方法請參照76頁）也沒辦法改變速度的時候，就必須考慮要整個換掉了。在五金行裡可以買到利用原本的螺絲孔進行更換的汎用性較高的自動閉門器。只不過，請先檢查更換的條件之後，再行購買。

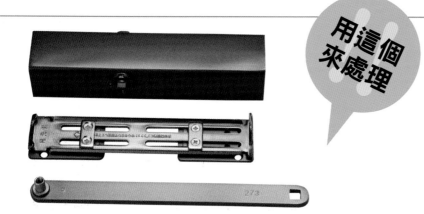

用這個來處理

交換用自動閉門器一組

由上而下分別是本體、底座及底座用的固定片、臂桿、連桿支架（和連桿是一組的）。青銅色。與平行的自動閉門器對應，附有安裝、拆卸用的螺絲和扳手。具有門擋功能（如下所示）。
RYOBI自動閉門器S-200系列／8600日圓左右／RYOBI
請事先準備好需要的工具——十字形螺絲起子、皮尺、作業用手套等等。

何謂門擋功能

無論把門開到什麼樣的角度，自動閉門器都可以保持在開門狀態的功能（從開的位置可以用手關起來）。這種功能請在鎖緊門擋的螺絲之後，再來調整門擋功能，使其發揮效果。基本上，社區式住宅都不會用到門擋功能。

大約的時間
時間：1小時

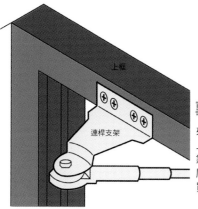

事前的確認②

如果府上的自動閉門器上的連桿支架有用螺絲鎖在門框的側面上，那麼固定片就必須另外再買。

連桿支架

事前的確認①

檢查既有的自動閉門器的螺絲位置。在這裡所使用的機種只要在下列的尺寸內就可以交換。另外，A的大小一定要比B的大小長8mm以上才行。
※下圖為往下看玄關大門與門框的俯瞰圖。

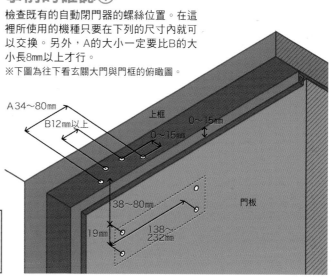

A 34～80mm
B 12mm以上
上框
0～15mm
0～15mm
38～80mm
門板
19mm
138～232mm

※本文所使用的交換用自動閉門器是利用舊的自動閉門器的螺絲孔進行組裝的種類。在五金行購買的時候，請事先檢查機種的設置條件。

3

把臂桿裝到本體上，
與門板固定

用附的螺絲把臂桿固定在本體上，再把本體固定在底座的固定片上。

4

將臂桿與連桿
組合起來

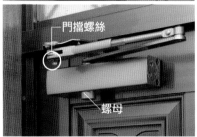

門擋螺絲

螺母

把臂桿往前拉，用附的螺絲將連桿和臂桿組合起來。鎖上螺母就算組裝完畢。組裝完畢之後請用速度調整螺絲來調整開關的速度。先把門開到90度，再把門擋螺絲鎖緊。

2

把底座用的固定片
裝到門板上

1 利用以前的自動閉門器所留下的螺絲孔，對準螺絲孔的位置，裝上2片固定片。

固定片上左右各有5個用來鎖螺絲的洞。事先用皮尺測量從上框到螺絲孔的長度，同時請先仔細地閱讀過說明書，確認要用哪一個鎖螺絲用的洞。

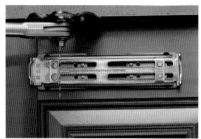

2 用螺絲把安裝滑軌用的板子固定在固定片上。事先就要以讓連桿支架的中心滑進刻有箭頭的安裝用板上的前提來決定固定片的位置。

1

拆下舊的自動閉門器，
裝上連桿支架

1 用十字形螺絲起子把連接連桿支架和連桿的螺絲轉開，把連桿和連桿支架拆下來。

※舊的自動閉門器如果像這次要裝上的自動閉門器一樣，是連桿和連桿支架一體的話，請先把連桿和臂桿的接合處鬆開，連同連桿把連桿支架拆下來。

2 把殘留在門框上的連桿支架和門板的自動閉門器本體上的螺絲轉鬆之後拆下來（如上圖）。利用以前自動閉門器的螺絲孔把新的連桿支架裝到門框上（如下圖）。

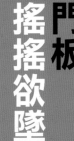

門板搖搖欲墜

一旦合葉的螺絲鬆脫，或者是生鏽的話，就會對門的開關造成阻礙，或者是發出傾軋的噪音。如果門板或門框是木製的，當螺絲搖搖欲墜的時候，可以把免洗筷削一削塞進螺絲孔裡，或許就可以再鎖上新的螺絲了。

用這個來處理

木工用接著劑

用來固定要填補在螺絲孔裡的木頭。木工用接著劑（50g）／178日圓左右／Konishi

削過的免洗筷

用美工刀削一削，盡可能把大小削得可以剛剛好塞進螺絲孔裡。

大約的時間：**10分**

1 把已經拴不緊的螺絲從螺絲孔裡取出來。

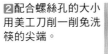
2 配合螺絲孔的大小用美工刀削一削免洗筷的尖端。

3 把木工用接著劑注入螺絲孔裡。

4 把免洗筷塞進螺絲孔裡，用鐵鎚輕輕地敲打，等到接著劑乾了之後，再用美工刀把多餘的部分削掉。

5 用錐子在被免洗筷填滿的部分中間扎一個洞。

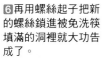

6 再用螺絲起子把新的螺絲鎖進被免洗筷填滿的洞裡就大功告成了。

Point

檢查螺絲鬆脫的地方

用十字形螺絲起子一個一個地檢查所有分布於門板與門框上的螺絲。有時候光是用螺絲起子重新鎖一鎖就可以解決門板搖搖欲墜的問題。

讓拉門的開關更順暢

在拉門下面的兩側都裝有滑車。當門向歪一邊，沒辦法順利地開關的時候，不妨調整一下滑車輪子的高度。只要把調整高度的螺絲往右轉，輪子就會被壓往軌道側（下），傾斜的問題就會被導正過來了。如果連調整螺絲也不能導正的話，就要換掉了。

大約的時間：5～30分

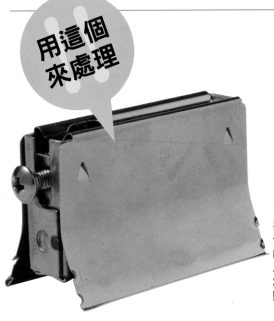

用這個來處理

滑車

拉門用滑車。在更換滑車的時候，請把門拆下來，測量下半部的深度和寬度等等，準備合適的尺寸。鋁門窗用滑車〈13（B）-28型〉／1600日圓左右／家研販賣

●更換滑車（裝上新的）

1 如果可以把舊的滑車從拉門上拆下來的話就拆下來，不能拆下來的話就把高度調整螺絲往左轉，把輪子塞進去（為了今後可以利用新的滑車輪子來移動拉門），把螺絲起子插入縫隙間，藉以移動位置。

2 旋轉新滑車下方的螺絲，把高度調整螺絲的位置對準拉門的螺絲孔。用手把滑車壓入溝槽裡。再把拉門裝回滑軌上，調整滑車的高度。

●調整高度

把一字形螺絲起子插入拉門側面下方的螺絲孔中，把螺母拆下來。如果螺母有2個的話，請把下面的螺母拆掉。插入十字形螺絲起子，以順時針的方向旋轉內部的滑車高度調整螺絲，把滑車向下推出，把門抬起來。

作業前的檢查

在推拉門的下半部時，看門歪向哪邊，就轉動螺絲，調整那一邊的滑車高度。在作業之前請先試著把門開關關幾次，自己親眼檢查。

Point 無法移動位置的話該怎麼作

既不能把舊的滑車拆下來，也不能移動位置的時候，請先把舊的滑車輪子塞進去，再把調整好高度的新滑車裝到還有空間的地方。這個時候，就無法再調整把拉門裝回滑軌之後的高度了。

為鐵門重新上油漆

鐵製的門板經過一段時間之後，上頭鍍的膜會剝落、生鏽，嚴重的時候甚至會侵蝕到金屬的部分。在重新上油漆之前，請先用研磨菜瓜布或鋼刷把生鏽的地方刷乾淨，塗上防鏽塗料之後，最後再塗上一層鐵製品用的塗料。一旦發生鏽蝕就要馬上處理，重新塗上一層漂亮的新油漆。

大約的時間與材料費
時間：1天
材料費：5500日圓

用這個來處理

研磨菜瓜布

海綿研磨菜瓜布（240～320號）。能夠有效地把舊的塗料刷掉、把生鏽的地方磨平。最好準備號數比較粗的研磨菜瓜布。

鐵製品防鏽油漆

塗在鐵製品上可以發揮防止生鏽的效果。油性‧速乾型。防鏽速乾油漆（0.5公升）／980日圓左右／Kanpe Hapio

材料與工具

①鐵製品防鏽油漆（油性‧速乾型）…0.5公升的1罐
②多用途油漆（油性鐵製品用）…0.8公升的1罐
③油漆稀釋液…0.4公升的1罐　④鋼刷（黃銅製‧不鏽鋼製）
⑤研磨菜瓜布（300號左右）　⑥馬蹄刷（油性用）　⑦縫隙專用刷
⑧刮刀（或者是免洗筷）
除此之外還有86頁的遮蔽用品、口罩、塑膠手套、布、油漆杯等等

Point

鐵製品油漆的訣竅

● 用研磨菜瓜布或鋼刷等工具把生鏽的地方刷到看見底下的鐵為止。
● 把防鏽塗料塗在刷過的地方。
● 在上油漆之前，徹底地把污垢、油漬、水分擦乾淨。
● 從不好塗布的地方開始塗。
● 不厭其煩地調整油漆的黏度，盡可能塗薄一點，重覆塗布。

After

到處都充滿了鐵鏽的大門。請先把鐵鏽刮下來，塗上防鏽油漆之後，最後再塗上一層鐵製品用油漆。

Before

5 把鐵製品用油漆的罐子徹底搖晃均勻，用刮刀充分地攪拌均勻，倒進油漆杯裡，再用油漆稀釋液調整到容易塗布的濃度。從角落等比較不容易塗布的地方開始塗，小心不要讓油漆滴落下來。底部使用縫隙專用刷來塗布。即使是標示只要塗一次即可的油漆，多塗幾層的話還是會變得比較漂亮。

3 在大門的周圍作好遮蔽工作。凹凸不平的地方請貼上粗面用的防護用膠條，在上面再貼上一層附有遮塵布的防護用膠條。把作業用的帆布鋪在地上。

4 用馬蹄刷把防鏽油漆塗在刮掉鏽蝕的部分，等待風乾。乾燥時間視油漆罐上的說明而定。

1 用研磨菜瓜布或鋼刷把浮起來的鐵鏽刷掉，刷到底下的金屬露出來就可以了。整個用研磨菜瓜布輕輕地刷過一遍之後，再用布擦乾淨。

2 污垢用濕抹布擦掉、油分則用沾了油漆稀釋液的布擦乾淨。角落的地方可以把布捲在刮刀上來擦。

填充在窗框裡的材質出現裂痕

窗框和外牆、門框和外牆等建築物的接縫處（縫隙）都會使用填縫劑（封孔膠）來處理。填縫劑劣化之後便會開始出現裂痕，造成水分的滲透。如果放著不管的話，很容易去損傷到建築物的內部，所以請把舊的填縫劑剝除之後，再埋入新的填縫劑。

多功能矽利康填縫劑

使用在外牆、屋頂等處。很容易凝固，有很多顏色。也有少量的管狀填縫劑，但是如果要大量使用的話，以大型彈藥筒狀的填縫劑比較方便。上圖的容量為333ml。
POS填縫劑／800日圓左右／Cemedine

氣動式噴膠槍

使用彈藥筒狀的填縫劑時，請接上氣動式噴膠槍使用。
氣動式噴膠槍R-100／300日圓左右／岩井產業

大約的時間與材料費
時間：30分（不含乾燥時間）
材料費：1500日圓

材料與工具

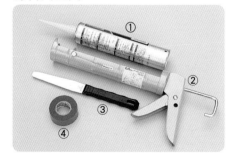

①多功能矽利康填縫劑
②氣動式噴膠槍
③封孔處理用的刮刀
④防護用膠條
除此之外還有美工刀等等

檢查屋子四周的填縫劑

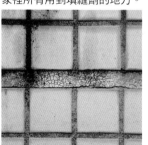

一旦填縫劑的劣化愈來愈嚴重的話，就會開始出現裂痕，造成水分的滲透。所以請先檢查家裡所有用到填縫劑的地方。

仔細觀察填縫劑（封孔膠）在外牆與外牆、外牆與玄關大門的接縫處等地的狀態，硬化之後會保持宛如橡膠一般的彈性。

7 作業之後要趕在凝固之前把防護用膠條撕下來。

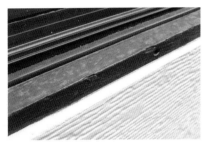

8 搞定。完全凝固大約要花上一整天。用封箱用的膠帶把剩下來的填縫劑封口蓋好,放在陰暗處保存。

封孔膠的 主要種類

根據用途的不同,封孔膠的種類也不一樣。主要有以下4種。記起來有好無壞。

1. 矽利康類
經常使用在浴室等有水的地方。不可上油漆。

2. 多功能矽利康類
使用在外牆、屋頂等處。凝固的速度比氨基甲酸酯快,顏色也比較多。可油漆。

3. 氨基甲酸酯類
黏度較低,也不容易凝固,所以要多花一點時間才會凝固。顏色比較少,可油漆。

4. 壓克力樹脂類
使用在室內牆的裂縫、壁紙的接縫處。水性,質地柔軟,很容易上手。也可以油漆。

2 在已經割下來的填縫劑的上下兩端貼上防護用膠條,用手指頭確實地壓緊。

3 斜斜地把填縫劑的噴嘴尖端割開,割開的圓周要比待會要填充的寬度稍微窄一點。

4 把噴嘴拆下來,塞進填縫劑的開口,打開位於裡面的密封膠膜。

5 裝上氣動式噴膠槍,彷彿要把裡頭的填縫劑往噴嘴的切口方向推。把噴嘴的尖端抵在要填充的部分上,扣動扳機把填縫劑塗布上去。

6 用刮刀把填縫劑用力推進去,把空氣擠出來,讓表面變得平整光滑。

埋入填縫劑

清除使用在窗框的下緣與外牆接縫處的填縫劑,埋入新的填縫劑。

1 把美工刀插入舊的填縫劑的上下兩邊,把填縫劑割下來。

粉刷磚砌圍牆

磚砌圍牆長期曝露在風雨中，一旦髒了就會很明顯。經過粉刷，可以讓圍牆免於紫外線及黴菌、風雨的侵蝕，看起來也會比較美觀。所需的作業時間大約為3天，請選一個天氣晴朗的日子來進行。也別忘了要定期地重新粉刷。

砂骨滾筒式刷頭

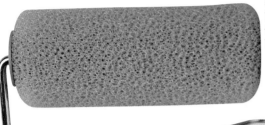

裝有質地粗糙的海綿狀刷頭的滾筒，可以營造出凹凸不平的效果。也可以和握把分開來，單買刷頭即可。1700日圓左右。

用這個來處理

外牆用水泥漆（水性）

請選擇有效抵抗風雨及紫外線、黴菌及污垢的「外牆用油漆」。適合DIY的幾乎都是水性。味道不會那麼重，乾了之後也不會被水沖掉。請先塗上一層封固底漆之後再行塗布。水性外牆用亮光晴雨漆（7公升）／12000日圓左右／朝日塗料

大約的時間與材料費
作業時間：3天（由3人來粉刷高1.8×長9.2m的圍牆）
材料費：36000日圓

修補用

①水泥補土…0.95公升的10個
②食品保存袋　③刮刀
除此之外還有銼刀布等等

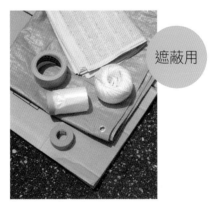

遮蔽用

①報紙　②作業用帆布
③紙箱　④遮蔽膠帶
⑤附有遮塵布的防護用膠條
⑥粗面用的防護用膠條
⑦繩子

清潔用

①除霉劑（氯化物）※
②混凝土用清潔劑（鹼性）
③地板刷　④皮鏟子　⑤鬃刷
⑥鋼刷（黃銅製、不鏽鋼製）
※和酸性清潔劑等混合會產生危險。使遵守使用上的注意事項。

粉刷前

粉刷後

被污垢和苔蘚搞得烏漆抹黑的磚砌圍牆。在粉刷之前還要擔心紫外線造成的劣化，但是配合屋子的顏色漆成米白色之後，整個家都變得明亮起來了。

除此之外的外牆用油漆

粉刷後的風情會因為使用的油漆而千變萬化。配合想像來選擇油漆也是人生一大樂事。計算好要粉刷的面積之後，購買稍微多一點的油漆會比較沒有後顧之憂。

一般油漆

一般的多用途油漆。顏色豐富、價格低廉，和水泥漆比起來，漆膜比較薄，塗在磚砌圍牆上的時候，會原封不動地呈現出表面的凹凸不平。也可以在底下先塗上一層水泥漆。

仿石紋油漆

加入了陶瓷的材質，可以呈現出天然石頭風格的厚重感。和水泥漆一樣，可以用滾筒式刷頭重覆塗布。

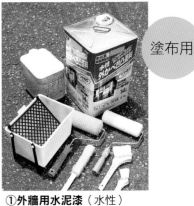

塗布用

①**外牆用水泥漆（水性）**
14公升的1.5～2罐
②**打底用封固底漆⋯4公升的1罐**
③**滾筒式刷頭（中毛）**
④**砂骨滾筒式刷頭** ⑤**馬蹄刷**
⑥**縫隙專用刷** ⑦**滾筒用水桶**
除此之外還有塑膠手套、美工刀、剪刀、布等等

1 清理圍牆

■用鬃刷或鋼刷等工具和水把圍牆上的發霉和污垢刷洗乾淨。上面也別忘了洗。

②用水沖不掉的污垢，請使用除霉劑或混凝土用清潔劑再加上地板刷用力地刷洗。牆角的雜草也要拔乾淨。

粉刷磚砌圍牆

作業時間　主要的工程為清潔、修補、遮蔽、打底、刷油漆，大約需要3天。請把乾燥時間也考慮進去，選擇天氣晴朗的時候從容地進行。以下為粉刷靠近馬路的那一面磚砌圍牆。

第1天　❶丈量
確認需要粉刷的面積。如果是磚砌的圍牆，可以計算出一個磚塊的面積，再乘以磚塊的數量。

❷買材料
根據不同的油漆，每一平方公尺所需的量也不太一樣。請以要塗兩層的前提來購買。

❸清潔
用水把苔蘚和污垢沖洗乾淨。在打底之前請充分（晴天1～2天以上）使之乾燥。

第2天　❹修補
把水泥補土塗在破片或破洞上。磚塊的接縫處也以同樣的方式填補。然後放置24小時以上，使之乾燥。

第3天　❺遮蔽
徹底地在沒有油漆的部分作好遮蔽工作。

❻打底
為整面圍牆塗上封固底漆，在正式油漆之前至少要乾燥1～3小時以上（依產品而異）。

❼刷油漆
塗上外牆用油漆。視需要可以重覆塗布兩次。

❽乾燥
塗完油漆之後，請貼上「油漆未乾」的貼紙，放置3～8小時（依產品而異），使之乾燥。

注意　在作業之前請一定要確認天氣。如果在油漆的過程中下起雨來，油漆會被沖掉，必須從遮蔽開始重頭作一遍才行。

3 塗上封固底漆

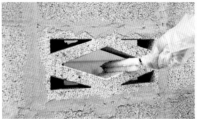

■1 等到水洗過的圍牆和水泥補土完全乾燥之後,再塗上一層封固底漆。比較難塗布的角落和上面用馬蹄刷、縫隙之間則用縫隙專用刷來塗。

■2 平面使用滾筒式刷頭來塗。把滾筒式刷頭浸到封固底漆裡,在網子上稍微刮一下,讓封固底漆維持在不會滴下來的程度,先抹到牆上,再整個塗布開來。放置1～3小時以上,使之風乾。

■4 用水泥補土把洞和凹進去的地方補滿。面積比較小的地方請用刮刀,面積比較大的地方則用木板之類的來處理,比較容易抹得平整光滑。

■5 把所有的縫隙和洞、凹陷處填滿之後,放置24小時以上,使之乾燥。

Point

如何讓縫隙看起來平整光滑

事先把填補縫隙的痕跡盡可能處理得光滑平整是很重要的,如果凹凸不平的話,就要擔心傷痕可能會浮在油漆面上。最好選擇凝固之後不容易冒出肉瘤(凝固後突出來或凹下去的痕跡)的水泥補土。

一些突出來的水泥補土屑屑,可以等到乾透之後,再用磚頭貼著牆面削掉。

突出來的部分則用銼刀布包住木塊削掉。

---

2 填滿及修補縫隙

■1 把作業用帆布鋪在地面上,再把遮蔽用的膠帶貼在門鈴及門牌的周圍,加以保護。

■2 配合縫隙的寬度,用剪刀把食品保存袋的一角剪開來,用刮刀舀取適量的水泥補土裝進去。

■3 一面把水泥補土擠出來,一面把縫隙補滿。黏性不佳的時候也可以先把縫隙稍微打濕。然後再用刮刀把水泥補土壓進縫隙裡。

④和封固底漆一樣，用馬蹄刷和縫隙專用刷先從比較難塗布的部分開始塗。比較吃不到油漆的部分可以把刷子直著拿，用拍打的方式塗布。

5 刷上油漆

❶由於油漆在罐子裡會油水分離，所以請以轉動的方式充分地搖晃均勻。

❷用力地按住蓋子的中心，把蓋子打開。由於油漆會四下飛濺，所以最好拿塊布之類的擋一下。然後再用長條狀的木棒把裡面充分地攪拌均勻。

❸把開口朝上，抓住罐子，把油漆倒進滾筒用水桶裡。如此一來，油漆就不會從開口滴得到處都是了。

❺平面則用砂骨滾筒式刷頭來塗布。沾滿了油漆之後，請先在網子上稍微刮一下，只要油漆不會滴下來即可。

4 遮蔽工作

❶圍牆和地面的交界處請在靠近圍牆的那一邊貼上防護用膠條，請一面確認有水平地位於距離地面3cm左右的位置上，一面確實地壓緊。再重覆貼上附有遮塵布的防護用膠條，把遮塵布張開。由於遮塵布很容易破，所以請在上面再鋪上一層作業用帆布。

❷這次由於背面沒有要粉刷，所以請貼上附有遮塵布的防護用膠條加以保護。為了不要被風掀開，請用膠帶固定住遮塵布。有洞的磚塊背面也請作好遮蔽工作，以免油漆滲入。

❸牛奶盒和門牌也要全部作好遮蔽工作。

7 油漆的善後工作

把剩下的油漆刮到報紙上,再把滾筒式刷頭在報紙上滾一滾,等到乾了之後再拿去丟掉。把刷頭從握柄上拆下來,用水洗乾淨之後,晾乾,以利下次的使用。如果要丟掉的話請依照當地的垃圾分類規定。

粉刷後

6 撕下防護用膠條

■ 塗好之後,趁著表面還沒有完全乾透,趕緊把防護用膠條撕下來。要是已經乾掉的話,就用美工刀之類的工具以沿著邊緣劃上一刀的方式來撕,就不會扯掉油漆。

■ 貼上「油漆未乾」的警告用標誌,用以喚起家人及左鄰右舍的注意。

A

B

C

⑥ 一次大約粉刷4個磚頭左右的面積。讓滾筒式刷頭沾滿油漆之後,再把油漆均勻地塗抹在整片牆面上(A),然後再整片推開來(B),不要有沒塗到的地方。最後再慢慢地把滾筒式刷頭往上推,塗最後一層。

全部粉刷完畢。

Point

如何均勻地塗上水泥漆

● 使用砂骨滾筒式刷頭。
● 讓滾筒式刷頭沾滿大量的油漆。
● 一開始先重點塗布,接著把油漆推開,最後再均勻地塗上最後一層。
● 塗最後一層的時候請慢慢地滑動滾筒式刷頭。

導雨管破損①

面對著停車場或馬路的直立式導雨管可能會因為接觸而破損。如果傷口或破損的部分太大的話，請把那個部分整個切掉，換上新的水管。水管在五金行等地都可以買得到，由於種類繁多，不妨把自己家裡現有的水管帶去，當場確認尺寸合不合之後再行購買。

大約的時間與材料費
時間：30分
材料費：1300日圓

用這個來處理

排水管

流入集水器的雨水會通過排水管再流到地面上。管徑以55mm、60mm為主，長度則任君挑選。右圖為75cm的排水管，500日圓左右。

水管接頭

用來銜接排水管之用。100日圓左右。

前端彎頭

使用在排水管的前端。100日圓左右。

材料與工具

①排水管
②水管接頭
③前端彎頭
④導雨管用接著劑（聚氯乙烯用接著劑）
⑤鋸子
⑥皮尺

在購買水管之前請先行確認

家庭用導雨管多半都是聚氯乙烯製的，形狀有圓形、方形等等，顏色也五花八門。最近住宅的導雨管會因為不同的廠牌而有不同的大小，所以要找到完全相同的不太容易。要是這樣不妨直接跟專門的業者商量。

排水槽（左）和排水管（右）。主要規格為100mm寬的排水槽搭直徑55cm的排水管、和105mm寬的排水槽搭直徑60mm的排水管。除此之外的每個零件在更換的時候都要配合原本的導雨管規格。

③L型轉接頭
用來連接排水槽的L型轉接頭。

④旋轉彎頭
用來讓排水管轉彎的裝置。

①集水器（漏斗）
水會從排水槽及2樓的排水管集中於此。

⑤排水槽接頭
用 來 連 接 排 水槽。

②P型集水器
收集相鄰排水管的水。

⑥排水槽邊條
裝在排水槽的邊緣。

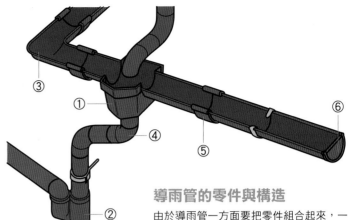

水管接頭

前端彎頭

導雨管的零件與構造

由於導雨管一方面要把零件組合起來，一方面又要安裝到建築物上，所以零件的組合方式會因為建築物而有所不同。以下介紹的只是其中的一種排列組合方式。一般來說，住宅的導雨管通常是硬的聚氯乙烯材質，在修補上也比較容易。

排水管的修補

假設破損的是排水管，只要把破損的地方切掉，接上新的即可。

Before

4 把導雨管用接著劑塗在水管接頭的內側。由於導雨管用接著劑為速乾性的，所以塗好之後請馬上按照新的排水管和前端彎頭的順序接著。

2 裝上水管接頭，放上前端彎頭，測量從裝上水管接頭的部分到這裡的長度。

Point 1

把水管接頭較細的部分朝下插進去。

After

讓前端彎頭朝著雨水流往的方向。大約20小時之後，接著劑會完全凝固。在那之前請不要碰。

3 配合長度鋸一段新的排水管。先把水管接頭、鋸好的排水管、前端彎頭試著組合看看，進行確認。接著前要先把接著面的污垢擦乾淨。

水管接頭

1 用鋸子把破損的管子切掉。由於在接的時候還要用到水管接頭，所以為求接好之後還保持乾淨俐落，直接從位於破損處上的水管接頭上方鋸掉即可。

導雨管破損②

發現導雨管破了一個洞，但是破洞的範圍倒也沒有很大。像這種時候，可以貼上導雨管修補用的膠布，把破掉的地方補起來。以下介紹的雖是如何處理排水管上的破損，不妨也趁此機會檢查其他導雨管的零件有沒有破損的地方。

大約的時間：15分

用這個來處理

導雨管用修補膠布

表面有經過燒灼塗裝處理的鋁製膠布（附刮刀）。可以牢牢地貼在導雨管的裂痕和接縫處等凹凸不平的地方和球面。尺寸為0.1mm×40mm×2m。導雨管修補膠布／452日圓左右／nitoms

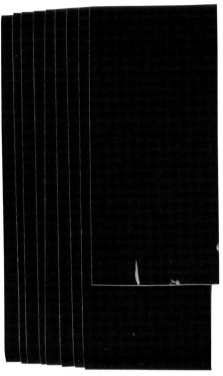

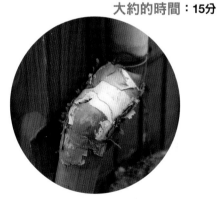

Point

如果用專用的修補膠布以外的膠布來處理破損的地方，一下雨馬上就會掀開。

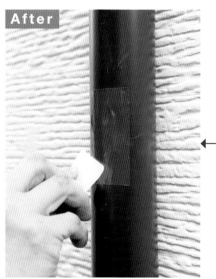

After

清除接著面上的污垢和水分，貼上導雨管用的修補膠布。由於黏性很強，一貼上去就無法重來，所以下手請慎重。貼好後再用刮刀在上面刮一刮，使其密合。

Before

小小的破洞如果放著不管的話，也是會愈來愈嚴重的，請趁早處理。

94

如何對付堵塞的導雨管

如果家裡的排水槽很容易有落葉及垃圾堆積的話，導雨管也就很容易堵塞，這會有水滿溢出來的風險。只要把落葉拿掉，就不用擔心水會滿出來了。在清除落葉的時候，如果直接把梯子架在導雨管上進行作業的話，可能會損傷到導雨管，所以請盡量避免。

用這個來處理

清除落葉器

由鐵絲網和安裝用的零件組合而成的清除落葉器。長度為100cm，1000日圓左右。

排水管的清潔

鋼絲型的清管器。用來打掃廚房及浴室等排水管的工具。上圖為3m的清管器，1280日圓左右。

把集水器內的垃圾清乾淨，從集水器的口和排水管的下方插入清管器，進行清潔。

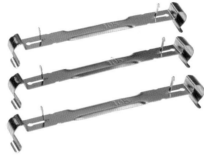

2 把安裝用的零組件固定在導雨管上，放上鐵絲網，用工具固定。

注意
由於是要利用到腳架或梯子進行的作業，所以請一定要小心，不要跌下來了。太高的地方最好還是交給專家比較安全。

1 把落葉和垃圾清除乾淨。

導雨管的金屬扣環鬆脫了

排水槽和排水管是由連接兩者的接頭和固定用的扣環等所支撐的。在強風或下雪的影響下，可能會鬆開、也可能會損壞。如果放著不管的話，會對別的水管造成負擔，是受損的原因之一。在注意到的時候就要使用填縫劑或新的扣環趁早處理。

固定導雨管的工具

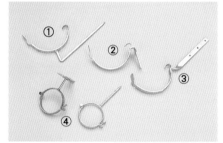

排水槽可使用①一般扣環、②正面扣環、③橫向扣環等等，而排水管則使用④圓形扣環等等。在五金行等地都買得到，最好帶現有要換的零件去比對。

填縫劑
（多功能矽利康填縫劑）

屋子裡各式各樣的角度都會用到填縫劑，其中又以多功能矽利康填縫劑最常使用在外牆等處。右圖和84頁是同樣的東西。

用這個來處理

大約的時間：20分（不含乾燥時間）

簡單的修補

如果是排水管的扣環鬆脫，可以先用銅製的鐵絲來固定應急。

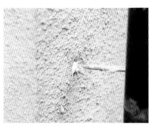

零件（圓形扣環）壞掉，和外壁的固定處分開來了。

把舊的扣環拆下來，在洞裡注入填縫劑，再把新的扣環壓進去固定。

Before

After

水管和牆壁的距離可以利用插入扣環的深度來調整，和其他的零件保持一致。再固定到水管上就大功告成了。

用這個來處理

DIY
自己動手修

水從導雨管的接縫處漏出來

如果水是從集水器或排水管的接縫處等地漏出來的話，不妨用補土把洞堵起來。請使用環氧樹脂的材質、具有防水性的補土。

環氧樹脂補土

把分別裝在不同容器裡的A劑和B劑混和均勻之後使用。從屋子內外會潑到水的地方開始，即使在水中也會凝固。也可以用來修補水槽附近的磁磚剝落及排水管的漏水等等。附有手套、刮刀。100g一組。水中補土／819日圓左右／Konishi

大約的時間：15分（不含乾燥時間）

戴上手套，取同樣劑量的A、B在手上，把手套稍微用水沾濕，一直揉到顏色均勻為止。由於在揉的時候會慢慢硬化，所以請在1小時之內使用。

Point
如果不能夠確定哪裡有漏水的話，請把水倒進去看看，找出漏水的地方。作業請在沒有附著著水滴的時候進行。

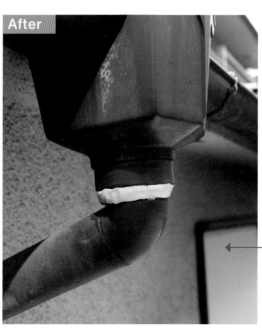
After

Before

修補位於集水器下方的接縫部分。在作業之前，請先把要修補的地方的污垢清除乾淨。

玄關外的地板磁磚

大掃除之後再打蠟，
可以讓污垢不容易附著！

大掃除前

被泥巴及青苔弄髒的磁磚

玄關外的磁磚很容易附著污泥、白色粉末（鈣質等礦物質成分）、黴菌、青苔等等。輕微的污垢用不織布的海綿或鬃刷再加點水就可以刷掉了，但如果是根深蒂固的頑垢，則要用室外磁磚專用的清潔劑來打掃。

必須要注意的是隙縫的清潔。刷得太用力的話，隙縫會磨損，一旦雨水滲透進去，是形成劣化的原因之一，所以請使用牙刷輕輕地刷。好不容易打掃乾淨，如果不再多花點工夫的話，很快就會又髒了，所以建議最後要記得打蠟。把清潔劑沖洗乾淨，放乾之後再來打蠟的話，平常就只要用水擦擦就可以了。打蠟的頻率大概是一個月一次就夠了。

●**磁磚用化學清潔劑**（Bio-Mentech）
植物性的離子清潔劑。外牆、地板磁磚專用。
可以視情況戴上護目鏡。

大掃除後

●**玄關專用蠟**（yukaron）
水性地板用蠟。在把污垢和清潔劑沖洗乾淨，完全乾透之後使用。可以用在磁磚、鐵平石、混凝土上。

把室外磁磚專用清潔劑塗布
在磁磚上，用海綿把污垢刷
掉。

用水把清潔劑沖乾淨，等到
完全乾透之後，再用刷子上
蠟。

在用清潔劑打掃之前，請先利用海綿上
的不織布部分把附著在磁磚上的灰塵和
污泥等刷掉。

用鬃刷來刷除根深蒂固的頑
垢，隙縫的部分則使用牙刷
來刷。

聰明的牙刷使用方法

隙縫的污垢只要用牙刷輕輕地刷就可以了。如果刷
毛太軟的話，可能比較不容易刷到污垢，可以用剪
刀剪掉一半之後再使用。如此一來毛尖就會有彈
性，也比較容易把污垢給刷出來。

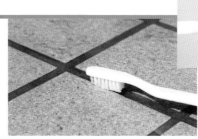

屋裡屋外2

木製平台褪色了

說到最有名的建築物外觀莫過於木製平台了。而且木製平台的面積愈大，一旦褪色的話看起來就會髒髒的，所以必須定期為木製平台塗上室外用的木頭保護漆。這時最好用的就是可以塗布一大片面積的平面培克刷。作業差不多要2天以上的時間，請選個好天氣來進行。

大約的時間與材料費

尺寸：寬6m×深1.7m（不含扶手在內）

時間：2天（以3人分工合作作為例）

材料費：17000日圓

用這個來處理

平面培克刷

將背面的刷頭沾滿油漆來塗布。只要把延長式握柄（另外買）裝上去，就可以站著工作了。

室外用木材保護漆

這裡使用的是比較沒有味道，用完之後也比較好收拾的水性油漆。具有防腐、防蟲、防霉等保護效果。由於是著色劑的形式，所以不會形成漆膜，而是會滲透到木頭裡。室外木品防蟲腐防霉清漆（0.7公升）／3500日圓左右／和信油漆

材料與工具

①平面培克刷及延長式握柄
②縫隙專用刷
③馬蹄刷（請準備寬30、50、70mm的刷頭。配合作業人數請多準備一點）
④油漆盤
除此之外還有室外用木材保護漆、護目鏡、口罩、作業用手套、橡膠手套、布、水桶、一字形螺絲起子、免洗筷等等

①強力膠布
②遮蔽膠帶（聚乙烯製，請使用寬5cm的種類）
③附有遮塵布的防護用膠條
除此之外還有報紙（適量）等等

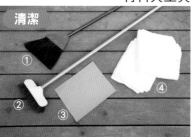

①掃帚
②地板刷
③砂紙（150～180號）
④抹布（請準備多一點）
除此之外還有水桶、作業用手套、填縫膠刮刀、口罩、免洗筷、木頭等等

Before

After

4 如果有發霉或長青苔的話,再把砂紙捲在木頭上,在地面上細細地打磨拋光,把髒污的地方磨到稍微有一點看到底下的木頭為止。如此一來,油漆將更容易滲透到木頭裡。

二次油漆之後的木製平台。經過幾天,等到油漆正式和木頭地板結合之後,就會呈現出自然的風貌。

5 也別忘了用砂紙把附著在扶手上的青苔刮掉。

2 用填縫膠刮刀把牢牢地黏在地板上的鳥糞給清乾淨。

第1天
STEP1 清潔

磨到稍微有一點看到底下的木頭,打磨工作就算正式完成了。

3 把免洗筷插入甲板與甲板的縫隙之中,清除卡在裡面的垃圾。

1 用掃帚把平台上的垃圾和落葉掃乾淨。

●磁磚、盆栽、導雨管等也要作好遮蔽工作

由於強力膠布的黏性很強,所以很適合貼在磁磚及混凝土牆面上。不妨在強力膠布上再貼上一層附有遮塵布的防護用膠條。另外,在要攤開附有遮塵布的防護用膠條有固難的地方則可以鋪上報紙,邊緣再用膠帶固定。盆栽之類的也都要蓋好。

用報紙把冷氣的室外機包起來。

導雨管也別忘了要作好遮蔽工作。這裡可以垂直地貼上好幾道遮蔽膠帶。

第2天以後 STEP2 遮蔽

1 在連接地板的外牆底下先貼上一排的遮蔽膠帶,再在上面貼上一層附有遮塵布的防護用膠條。

2 把遮塵紙張開,上頭用遮蔽膠帶固定。

6 用掃帚或刷子把被砂紙磨出來的屑屑先大致地清掃乾淨。

7 再把刷子沾水,把平台表面刷過一遍,扶手則用浸濕的抹布擦拭。

8 在平台表面乾透之前,再用乾的抹布整個擦拭一遍。扶手請先用濕抹布擦完之後再用乾抹布擦。

讓平台徹底乾燥,直到沒有水窪或潮濕的感覺,用手摸也不會濕濕的為止。

8 將平面培克刷沾滿油漆，從平台的內側往外塗布。只要在鞋底貼上強力膠布，鞋底的污垢就不會附著到平台上。

Point

一面把平面培克刷往自己的方向拉，塗抹時靠近自己的這一邊要稍微抬起來。刷子不要在同一個地方來回拖拉，一路拉到底即可。

9 下圖為塗好第一層的樣子。放乾之後，再以同樣的步驟再把扶手、平台反覆油漆一遍。塗完第一層之後，請先把刷子浸在水裡，以免乾掉。第二次要用的時候請先徹底地把水甩乾之後再行使用。

※乾燥所需的時間會依氣溫及濕度而定，請參照使用的油漆所附的說明書。只要用手去摸的時候，油漆不會附著在手上便行了。

4 把油漆移到油漆盤裡，將馬蹄刷沾滿油漆。馬蹄刷要事先拔除掉雜毛（參照20頁）。

5 從扶手的上方依序把油漆塗抹開來。

Point

從扶手等比較高的位置開始依序塗布的話會比較有效率（可以直接站在平台上進行），就算油漆從扶手滴到地板上，也可以在油漆地面的時候直接塗在上面。

6 塗完扶手的上面之後，再慢慢地往下塗。比較狹窄的部分可以用寬30mm的馬蹄刷來塗會比較好塗。

7 用縫隙專用刷塗抹甲板與甲板的縫隙之間。如果寬度夠大的話，也可以用馬蹄刷來塗布。

第 2 天以後
STEP3 油漆

1 由於油漆會在罐子裡油水分離，所以請把罐子倒過來，用兩手捧著，上下多搖晃個幾次。

2 打開蓋子。從蓋子周圍的幾個地方插入一字形螺絲起子，慢慢地把蓋子往上撬開。

※油漆的收拾工作請遵照罐子上記載的注意事項進行。

3 用免洗筷等工具從罐子底部攪拌均勻。

讓接水管變成一件輕鬆的事

為植物澆水、灑水、洗車的時候，常常都會有在屋外使用到水的機會。但是也有「只有一個水龍頭可用」「水管太短了」之類的限制。像這種時候，只要靈活地運用灑水用的零件，就可以解決這個不方便的問題，也可以減少園藝的辛苦。

接水管的範例

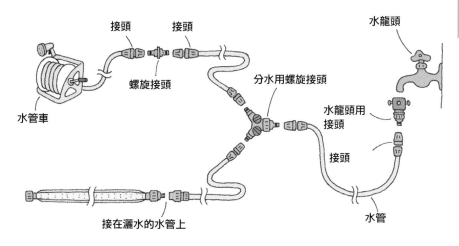

接頭　接頭　水龍頭　螺旋接頭　分水用螺旋接頭　水龍頭用接頭　接頭　水管車　接在灑水的水管上　水管

善用接頭和螺旋接頭，可以用來接續、分開、延長水管。在購買使用的零件時，需考慮到安裝的水龍頭形狀及水管的粗細、長度等等。另外，有些不同廠商的產品是不能接在一起的，請特別留意。

A 把水龍頭和水管接起來

在水龍頭的出水口接上水龍頭用接頭，由於前端是螺旋狀的，可以輕鬆地接上附有一觸即開式接頭的水管。使用的水龍頭用接頭會因為水龍頭的種類而異。

 地下灑水裝置用。常常被用在埋在地面下的水箱內的水龍頭。螺旋口徑13×20／336日圓左右／KAKUDAI

 萬用家庭式水龍頭用。只要把出水口的部分轉開就可以安裝。螺旋口徑／819日圓左右／KAKUDAI

 一般水龍頭用。安裝方式為用螺絲固定在水龍頭上。萬用口徑／670日圓左右／KAKUDAI

● 地下灑水裝置

用手把要插入水管的出水口根部的螺絲往左轉，把出水口拆下來，把與萬用家庭式水龍頭一樣的接頭轉上去。

● 萬用家庭式水龍頭

用水泵鉗把出水口處的螺母轉鬆，把出水口拆下來，再直接轉上接頭。也可以使用一般水龍頭用的水龍頭用接頭，但是這種可以用螺絲緊緊地鎖上。

● 一般水龍頭

把3顆螺絲均等地轉鬆之後，插入到水龍頭上，再把螺絲拴緊，使之固定。轉太緊的話可能會破損，敬請注意。

水管類

① ② ③

各種單賣的水管。每種水管的特徵都不一樣，內徑、外徑的尺寸也有不同。不妨配合用途或接續零件來選擇適合的水管。在管口等需要暫時關水的地方，請選擇加入了就算加壓也不容易破裂的網狀補強材質的水管。

①富有柔軟性、耐寒性，但是不適用於暫時關水的需求。
②加入網狀補強材質的耐壓水管。
③加入補強材質的耐壓水管，且內部塗黑，可防止藻類的滋生。

左邊是最常使用的水管，內徑15mm、外徑20mm。右邊則是比較細的水管，內徑7.5mm、外徑11mm。長度都是10m。

灑水管線

上頭有洞的管線。由於管子上有很多洞，可以在大範圍裡灑水、澆水。對於家裡有草皮或家庭菜園的人來說很方便。長度為5m、10m等等。

ⓒ 把兩條水管接起來

用來連接兩條水管的接頭。和分水用的螺旋接頭一樣，必須先在水管上接上一觸即開式接頭。

螺旋接頭／231日圓左右／KAKUDAI

螺旋接頭

1 把螺旋接頭接在先接好一觸即開式接頭的水管上。

緊緊扣住

2 插入到聽見發出「喀嚓！」一聲為止。要拆下來的時候請轉動接頭的部分，往水管的方向拔開。

水管用的轉接頭。雖然不像一觸即開式接頭那麼方便拆裝，只是單純用來延長的話倒是很方便，也可以把漏水的部分切掉再接起來。請先確認好要接的水管粗細之後再購買。水管轉接頭／294日圓左右／KAKUDAI

螺母

把一觸即開式接頭接到水管上

一觸即開式接頭。水管接頭／483日圓／KAKUDAI

裝在水龍頭的出水口上。只要輕輕一碰就可以把水龍頭用接頭和水管或者是水管和水管接在一起。連接水管和水管的時候，除了螺旋接頭之外，要接的另一頭也需要同樣的接頭。

ⓑ 把水管分成兩個方向

螺旋接頭是用來連接水管的接頭與接頭用的。可以連接2條水管，也可以把1條水管分岔成2條水管。可以解決「每次要洗車或澆水的時候都要把水管拆開」的麻煩。

分水用螺旋接頭。在接頭的出水口接上一觸即開式接頭，然後再接上水管。三口螺旋接頭／460日圓左右／KAKUDAI

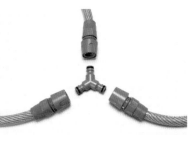

附有活栓的分水用螺旋接頭。可以用來調節水量及關水。只不過要記得還得把水龍頭關上。附有活栓的分水用螺旋接頭／1218日圓左右／KAKUDAI

活栓

安裝自動灑水裝置

夏天的灑水工作是家裡有院子的人早晚必作的工作，可是也有不少人常常會因為不小心忘記，搞出心愛的植物死翹翹的悲劇。其實只要安裝會在設定好的時刻自動灑水的自動灑水裝置，即使要出遠門也不用擔心。不妨配合用途選擇適合的裝置。

大約的時間：30分

自動灑水裝置

在水龍頭上安裝計時器，再把水管拉到每一個盆栽上。

從水龍頭把水引導過去的類型

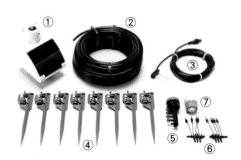

材料與工具

①計時器
②水管
③水分感應器
④可調式噴水頭
⑤5分接頭
⑥4分水管接頭
⑦接頭

可以在設定好的時刻自動灑水的裝置（如上圖所示）。可以在1～8個地方同時灑水。使用4顆單3的乾電池。附有水分感應功能，當土足夠潮濕的時候就會自動停止灑水。
簡易型灑水計時器／15750日圓左右／TAKAGI

也可以
裝在草地上

把水管接在接頭上，再另外買自動灑水器裝上，就可以自動在草地上灑水了。

車輪型三臂灑水器／3054日圓左右
／TAKAGI

設置完成圖

水管從裝在水龍頭上的計時器下方分別延伸到擺放在盆栽架的上層和下層的花盆裡。下層最前面的盆栽裡插著水分感應器。

設定時間

在計時器上設計要灑水的時刻跟灑水的時間，把水龍頭打開。不需要灑水的時候請把水龍頭關上。

如何調整水量

設置好之後，先試著灑一次水看看，然後再藉由旋轉噴水頭上的旋扭來調整水量。

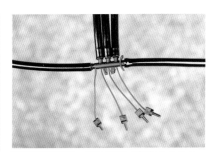

5 把連接到每一個花盆的水管插入4分水管接頭的出水口。不需要用到的出水口就保持原狀，不要拆掉開關。

6 在5的水管前端接上可調式噴水頭，插進花盆的土裡。

7 分別把水分感應器裝到計時器的下方和插進花盆的土裡。

※一開始就要配合花盆的位置，丈量從5分接頭到4分水管接頭之間的距離、和從4分水管接頭到每一個花盆之間的距離，事先用剪刀把水管剪成適合的長度。

1 把計時器裝到水龍頭上。由於這款計時器是直接把給水控制器裝在水龍頭上，所以請把水龍頭的螺旋接頭轉開之後，把計時器和給水控制器裝上去。

2 把5分接頭裝在計時器下面的出水口。

3 把水管裝到5分接頭上。視花盆的配置和數量，一次最多可以裝上5條水管（本文中只裝上2條水管）。

4 在3的水管另一頭接上4分水管接頭的接口。

一不小心去刮到的汽車車身，如果只是掉色或傷痕非常淺的話，可以用液體拋光蠟來消除。將烤漆表面上的傷痕連同其周圍都一起磨掉，再把表面抹平，傷痕就不會那麼明顯了。雖說是把烤漆磨掉，其實1次的作業也只會磨掉0.1微米左右，所以只要別太常作這件事，就算是DIY的新手也沒有問題。

用這個來處理

液體拋光蠟

依照研磨粒子的大小可以分為細、極細、超極細等3種，為3瓶一組的拋光劑。請從研磨粒子比較大的開始使用。Holts液體拋光蠟迷你組／1680日圓左右／武藏Holt

海綿

在使用粒子粗細不同的拋光劑時，每次都要換一塊新的海綿。拋光海綿2P／440日圓左右／Soft99 Corporation

大約的時間：15～30分

●出現在汽車烤漆上的傷痕（剖面圖示）

狀況 1　　狀況 2

油漆

底漆

鋼板

請先檢查傷痕的狀況

出現在車身或保險桿上的傷痕會因為深度的差異而採用不同的修補方法。不妨參照左圖，配合傷痕的深淺進行修補。
※108～111頁的修補作業都同樣要進行烤漆顏色（紅色或黑色的烤漆色）的修補及金屬的拋光。在使用每一種產品的時候，都要仔細地閱讀說明書。

狀況 1
傷痕淺到即使用手去摸，也幾乎感覺不到傷痕的存在。如果車子只是輕輕地擦了一下，只要用拋光劑就可以搞定了。
狀況 2
深入到底漆的傷痕，用手去摸可以輕輕楚楚地感覺到刮手。請使用筆型的修補劑（參照110頁），再用拋光劑來作最後處理。

非常淺的傷痕

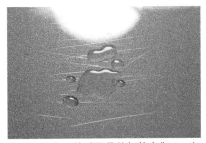

上圖為潑上水就看不見的無數小傷口。如果傷痕數目很少的話還不會太明顯，但是如果傷痕一多，就會因為光線照射的角度而變得非常明顯。這種傷痕也可以用拋光劑來消除。

消除引擎蓋上的傷痕。面積較大的部分可以分成好幾個區塊來處理，會比較有效率。

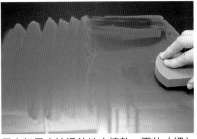

用布把用水沖過的地方擦乾，再依（細）（極細）（超極細）的順序以拋光劑打磨。

處理染色問題

After

即使是車身側面在擦撞時的染色問題，也可以用拋光劑清除得一乾二淨。

Before

1 在海綿上滴一滴小指大的拋光劑（細）。

2 沿著傷痕打磨到直到液體消失為止。等到傷痕消失到一定程度之後，再用布擦乾。

3 按照 **2** 的手法依序再用（極細）（超極細）的拋光劑來磨，直到表面被磨到光滑平整為止。

4 最後再用布擦拭一遍就大功告成了。

用這個
來處理

深入到烤漆下的底漆的傷痕可以用筆型的修補劑來修補，看起來就不會那麼明顯。修補劑可以在五金行及汽車用品專賣店買到，請準備與車身的色號同一種顏色的修補劑。色號可以從引擎室裡的車牌或車子的說明書上加以確認。

筆型的修補劑

把同一種顏色的專用修補劑塗抹在傷口上，便可以讓傷痕不要那麼明顯。市面上的修補劑依據車廠和車款有好幾百種的產品。請檢查標示在蓋子上的色號，購買與車身同一種顏色的修補劑。
Touch up補漆筆／600日圓左右／Soft99 Corporation

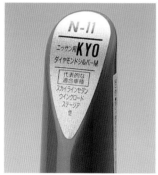

請確認車身的色號。

大約的時間與材料費
時間：1星期
材料費：3000日圓

材料與工具

①筆型的修補劑
②去污、除油劑（用來去除附著在污垢上的油脂）
③拋光蠟（細、極細、超極細）
④防水砂紙（600號、800號）
⑤防護用膠條
⑥拋光用研磨海綿（3個）
（也可以使用拋光蠟附贈的海綿或108頁需要另外買的海綿）

標示著型號的車牌就安裝在引擎室裡。

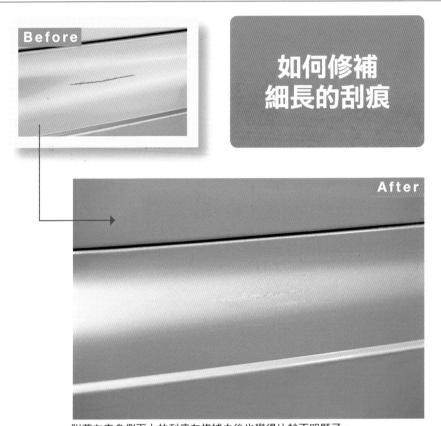

如何修補 細長的刮痕

Before

After

附著在車身側面上的刮痕在修補之後也變得比較不明顯了。

❹沿著傷痕的上下兩側貼上防護用膠條，再用筆型的修補劑以輕點的方式塗上修補劑。放置20分鐘使其乾燥，再塗一次。因為乾了之後修補劑會略微地凹下去，所以不妨重覆塗抹4次左右，直到修補劑略微隆起為止。在那之後等到表面乾了之後再把防護用膠條撕掉，靜置一星期。

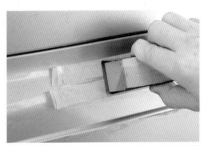

❺一星期之後，重覆❸的作業，再各自貼上幾層防護用膠條在修補劑的上下兩邊。使用800號的防水砂紙研磨用筆塗上修補劑的地方。每撕掉一層膠條就研磨一次。

❻等到膠條全部撕掉之後，再按照（極細）→（超極細）的順序用拋光蠟研磨。由於研磨粒子的大小有差，所以每換一種拋光劑，就要換上一塊新的海綿。最後再用布擦拭。

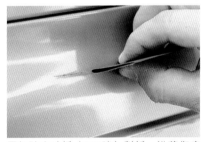

❷把防水砂紙（600號）對折，沿著傷痕研磨，把鐵鏽等污垢磨掉。

❸噴上去污、除油劑，再用布擦拭乾淨。

❶使用前先把瓶子充分地搖晃均勻之後，再用海綿沾取拋光蠟（細），沿著傷痕打磨。結束之後再用布擦拭乾淨。

Point
用海綿上比較柔軟的部分（黑色部分）稍微用點力地輕輕研磨。

洗車和打蠟的頻率為每個月一次。在打上新的蠟之前，為了把舊的蠟清除，也必然得要先洗車。另外，透過洗車這個動作，還可以提早發現車子的傷痕。由於要用到水，所以請先穿好長靴、工作服，如果有需要的話，還可以戴上橡膠手套。洗車的基本順序為車頂→引擎蓋→車屁股→兩側。根據地心引力的原理，只要按照這個順序，同樣的地方就不用重覆洗兩遍。

還有，如果是把車用清潔劑倒在海綿上來洗的話，由於可能會因此刮傷車身，所以請不要太用力，只要用泡沫把污垢洗掉就行了。

●水溶性污垢清潔劑（Soft99 Corporation）
洗車用清潔劑。請配合車身的顏色（淺色系或深色系）選擇適合的清潔劑。

用水從車頂到車身從頭到腳沖過一遍，把附著在車身上的灰塵和泥沙沖掉。

⑤

⑥

清洗鋼圈和輪胎，輪胎請用刷子清洗。

③
在移動到引擎蓋之前，請先把擋風玻璃和雨刷洗乾淨。

④
接下來請依照引擎蓋、大牌（參照下文）、車屁股、兩側的順序清洗。

以海綿沾取適量的清潔劑，從車頂開始洗。請盡可能往同一個方向移動海綿。

⑦

最後再用水把車子從頭到腳沖一遍，把清潔劑沖掉。然後再用洗車專用的布把車身上的水擦乾。在擦的過程中要不時地把水擰乾。

用牙刷來刷洗大牌

在洗完引擎蓋之後，也別忘了要洗大牌。由於大牌上會附著著一些細小的污垢，所以要用牙刷把污垢刷掉。

衛浴設備

- 水從水龍頭流出來了
- 水從排水管流出來了
- 解決馬桶的各種疑難雜症
- 填充在洗臉檯邊的材質出現裂痕

水從水龍頭流出來了

洗臉檯最常見的問題，就是水從水龍頭和水龍頭接縫處漏出來的慘劇。依據漏水的地方不同，要更換的零件種類也不一樣。以下雖以最常見的三角水龍頭為例為大家作介紹，不過雙柄水龍頭基本上也是同樣的構造。在修理的時候請一定要先把水關掉。

大約的時間：**15分**

用這個來處理

水泵鉗

可以分成好幾個階段來調節開口的大小。在維修衛浴設備的時候，常常需要處理大小不一而足的螺母和螺絲，有了這個就很方便。1500日圓左右。

止水心皮墊

三角墊片

止水心皮墊或三角墊片的尺寸有好幾種，家庭裡通常都是用「13用」，不過購買的時候最好還是把舊的止水心皮墊帶去比對，才不會買錯。
上圖／水管用附有橡皮墊片的止水心（13用）／262日圓左右／KAKUDAI
下圖／水龍頭三角把手內的墊片（13用）／240日圓／KAKUDAI

三角水龍頭的構造

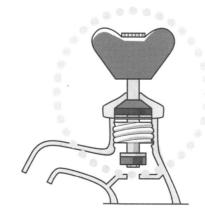

螺絲

龍頭

套蓋螺母

三角墊片

墊片

頂桿閥

止水心皮墊

8 裝入新的止水心皮墊，然後再依照拆下來的順序，把零件一個個裝回去。最後打開止水閥，檢查水會不會漏出來。

Ｐoint

摸摸止水心皮墊上的橡膠，如果手指頭被染得黑黑的話，就表示止水心皮墊的品質已經不行了。最好直接換掉。

水龍頭根部

的漏水問題

更換三角墊片

1 一直到把三角墊片拆下來之前的過程都跟上述的 **1**～**5** 一樣。裝上環狀的墊片。

2 再裝上三角墊片，然後依照拆下來的順序，把零件一個個裝回去。最後打開止水閥，檢查水會不會漏出來。

4 用水泵鉗把套蓋螺母轉鬆，拆下來。為了避免去傷到零件，也可以先用布把水泵鉗包起來。

5 把三角墊片拔起來。

6 用水泵鉗把頂桿閥拆鬆，和墊片一起拆下來。

7 用鑷子把位於水龍頭內的止水心皮墊夾起來。也可以用尖嘴鉗或尖端比較細的筷子來代替鑷子。

水龍頭 的漏水問題

更換 止水心皮墊

1 把位於洗臉檯下方的止水閥拴緊。然後再把洗臉檯的水頭龍打開，把殘留在水管裡的水放掉，確認止水閥已經完全被關上了。
※如果洗臉檯底下沒有止水閥，請把位於屋外的整間屋子的止水閥拴緊。

2 用水泵鉗把位於龍頭中央的螺絲轉鬆。

3 把龍頭往上拉，拔起來。

水從排水管流出來了

和水龍頭的零件一樣，一旦水從洗臉檯的排水管接縫處流出來的話，就表示橡膠墊圈的品質可能已經不行了。

不妨把U形的水管部分拆開來，換上新的橡膠墊圈。另外，就算不小心把首飾從排水口掉進去，只要馬上把U型水管拆開，就可以拿出來了。

大約的時間
時間：20分

用這個來處理

嵌入式墊圈

為墊片（白色）和橡膠墊圈一組的東西。可用在洗臉檯等水管的接續部分。尺寸有25、32、38mm不等。
排水管嵌入式墊圈／189日圓左右／KAKUDAI

墊片

用於連接洗臉檯的排水管和U型水管的地方。尺寸也跟嵌入式墊圈一樣琳瑯滿目。
排水管墊片／170日圓左右／KAKUDAI

排水管的構造

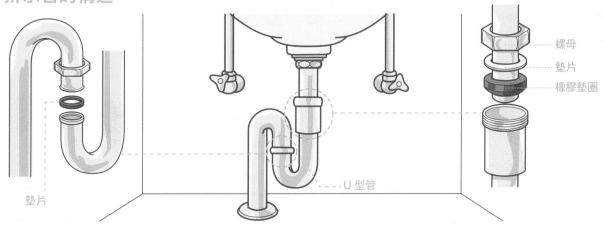

墊片

U型管

螺母
墊片
橡膠墊圈

※和上圖同樣的構造不一定都會有這些墊圈之類的零件（有的會沒有墊片）。
更換的時候請一定要準備和自己家的水管上所使用的東西一樣的新零件。

處理漏水問題

1 丈量U型管的粗細，搞清楚要購買的墊圈大小。也可以把拆下來的墊圈帶去，不過家庭用的排水管用墊圈的尺寸通常是25、32、38mm這3種。

2 按照前面的作法把U型管拆下來，先取下裝在上面的螺母處的舊橡膠墊圈和墊片。有些墊片會附著在螺母背面。

3 依序把新的墊片和橡膠墊圈嵌入排水管裡，再把U型管裝回去。先把下面的螺母鎖上去之後，再把上面的螺母鎖緊。

4 為下面的螺母更換墊圈，按照上一個步驟，把下面的螺母鎖緊。

4 把積在裡面的水放掉，如果有卡在裡面的首飾可以趁這時拿出來。

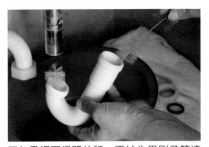

5 如果裡面很髒的話，不妨先用刷子等清乾淨。

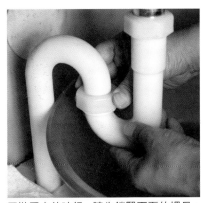

6 裝回去的時候，請先鎖緊下面的螺母，接著再鎖緊上面的螺母。確定水不會漏出來之後，再把水桶等收拾乾淨。

> **注意** 如果墊圈已經老舊，一旦拆開來再裝回去，水會從墊圈附近漏出來。所以在把舊的墊圈拆下來的時候，請按照「處理漏水問題」（左）的步驟，換上新的墊圈。

把U型管拆下來

1 把塑膠布（垃圾袋也可以）、浴巾等鋪在U型管的四周，放上水桶或臉盆。這是為了在把U型管拆下來的時候，積在裡面的水不會把四周弄濕的前置工作。

2 先把下面的螺母轉鬆，由於是塑膠製的螺母，所以用手就可以轉動了，如果是金屬製的螺母，就要用水泵鉗來處理。

Point

當螺母無法輕易轉動的時候，如果用蠻力硬拔的話，可能會撞傷地板或牆面。所以請請教專家該怎麼作。

3 用單手撐著U型管，把上面的螺母轉鬆，拆下來。

解決馬桶的
各種疑難雜症

以下為大家介紹如何解決「水箱裡的水流不出來」「馬桶裡的水流個不停」的問題。如果是水箱式的馬桶，原因多半都出在馬桶的水箱裡，所以請先掌握住構造和零件的名稱之後，再開始著手修理。另外，在動手修理之前，請先仔細地確認過步驟之後再開始進行。

馬桶水箱內的基本構造

在修理之前，不妨先確認每一個零件的名稱和基本的構造。只不過，水箱內部的構造有時候會因年份或型號的不同而有所差異。

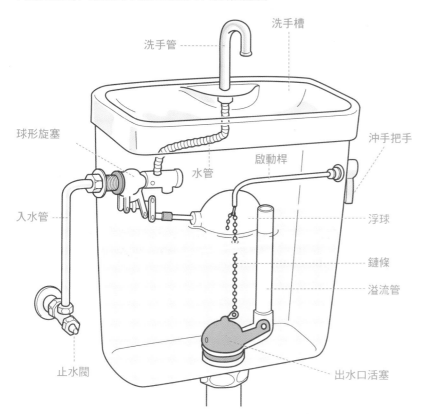

- 洗手槽
- 洗手管
- 球形旋塞
- 入水管
- 水管
- 啟動桿
- 沖手把手
- 浮球
- 鏈條
- 溢流管
- 止水閥
- 出水口活塞

沖水的原理

經過數十秒之後的狀態

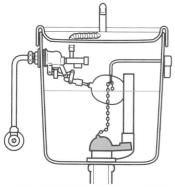

由於出水口活塞已經關上，從球形旋塞注入的水開始積滿。水位一旦上升，浮球也會跟著上升，然後停止從球形旋塞入水。

剛壓下沖水把手的狀態

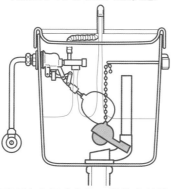

壓下沖水把手之後，鏈條會被拉緊，把出水口活塞給提起來，於是水箱內的水便流入馬桶內。水位一旦降低，浮球便會跟著往下沈，然後從球形旋塞處開始入水。

洗手槽的拆卸方法請參考119頁的上半部。到於止水閥的開關方式及水箱內的水量、水位調節的方法，則請參照123頁。

水箱裡的水流不出來
↓
鏈條鬆脫了
請前往 119 頁。

馬桶裡的水流個不停
↓
沖水把手、出水口活塞、球形旋塞、浮球的異常
請前往 119 ～ 122 頁。

洗手管裡的水出不來
↓
濾網的清潔等等
請前往 122 頁。

把洗手槽拆下來

從水箱的正面斜斜地把洗手槽稍微抬起來，檢查內部。由於上圖的水箱蓋是從球形旋塞伸出一條水管來，直直地通到洗手管的洞裡，所以只要用雙手把洗手槽直接抬起來就可以了。

※如果水管和洗手槽之間有用螺母連接起來的話，請先轉鬆之後，再把洗手槽給拆下來。記得要事先確認水管的固定方式。

水箱的狀態

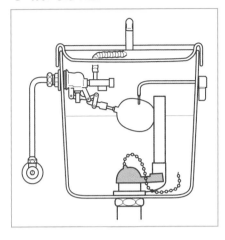

●修理的流程

把水箱上的洗手檯整個拆下來，檢查水箱的內部。把鬆脫的鏈條重新掛回從沖水把手延伸出來的啟動桿前端（把鏈條穿過圓形的扣環）。請把鏈條鬆鬆地勾上去。

馬桶的疑難雜症 ❶

水箱裡的水流不出來

⬇

鏈條鬆脫了

沖水把手的啟動桿在馬桶的水箱內和連著出水口活塞的鏈條連在一起。如果壓下沖水把手水還是流不出的話，可能是鏈條鬆脫了。請把水箱上的洗手槽（或者是蓋子）拿起來檢查，把鏈條重新掛好即可。

沖水把手的拆卸

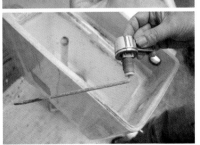

把水箱內側的螺母轉開。如果已經用了很多年，軸心應該會很髒。上圖的啟動桿輕輕一摸就可以摸到凹凸不平的鏽蝕。上圖的啟動桿是比較長的種類。

馬桶水箱的沖手把手。如果需要交換用的零件，可以把水箱上的沖水把手拆下來，直接帶去五金行，購買相同螺距的產品。上圖是啟動桿比較短的沖水把手。

●修理的流程

先把洗手槽拿起來，再把連接著啟動桿的鏈條拆開。把水箱內側的螺母轉開來，從水箱的外側把沖水把手拆下來。用布把污垢擦乾淨，如果生鏽得很嚴重的話就要整個換掉了。

馬桶的疑難雜症 ❷

馬桶裡的水流個不停

⬇

沖水把手故障

通常，沖水把手在壓下來之後都會自然地恢復原狀，但是當沖水把手的軸心太髒或生鏽得太嚴重的時候，就會沒辦法恢復原狀，導致水一直流個不停。這時不妨把沖水把手拆下來，把污垢清乾淨再裝回去，或者是考慮換個新的。

更換出水口活塞

※請準備尺寸、形狀皆合乎自家馬桶的出水口活塞。上述的尺寸、形狀會因水箱的種類而異，不妨直接帶著拆下來的東西前往五金行。如果附近沒有五金行，也可以向廠商調貨，或者是委託專業的人來修理。

馬桶的疑難雜症 ❸

馬桶裡的水流個不停

➡

出水口的活塞劣化

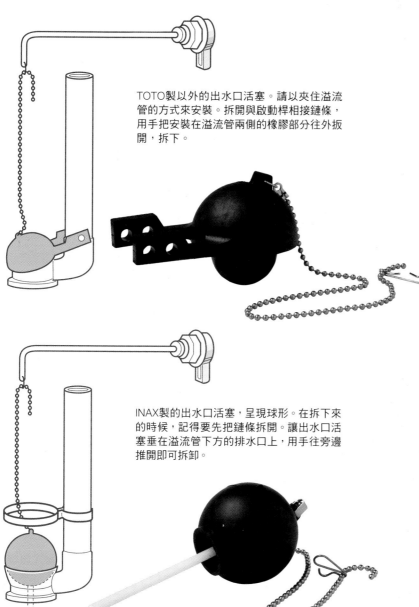

TOTO製以外的出水口活塞。請以夾住溢流管的方式來安裝。拆開與啟動桿相接鏈條，用手把安裝在溢流管兩側的橡膠部分往外扳開，拆下。

INAX製的出水口活塞，呈現球形。在拆下來的時候，記得要先把鏈條拆開。讓出水口活塞垂在溢流管下方的排水口上，用手往旁邊推開即可拆卸。

一旦出水口活塞劣化，和溢流管的排水口（通往馬桶）之間就會出現空隙，水就會滴滴答答地往馬桶裡流個不停。當浮球隨著水位的下降一起下降的時候，水也會從球形旋塞裡流出來，所以就會滴滴答答地流個不停。這時必須更換出水口活塞。

※也可能是出水口活塞的位置跑掉了，或者是有異物卡在排水口附近，理由五花八門，所以在懷疑是不是劣化之前請先確認有沒有上述的狀況。

水箱內的狀態

水箱內的水位應該要低於溢流管的頂端。

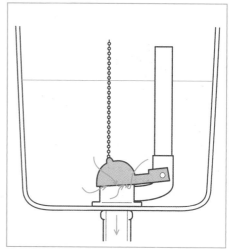

●修理的流程

先把止水閥拴緊，再把洗手槽拆下來，檢查水位是不是低於溢流管的頂端，以及出水口活塞的位置有沒有跑掉、有沒有卡著異物。把出水口活塞抬起來，把水放光，換上新的出水口活塞。在把鏈條裝回沖水把手上的啟動桿時，不要把鏈條拉得太緊。然後把止水閥打開，調節水量。

球形旋塞的構造和給水的裝置

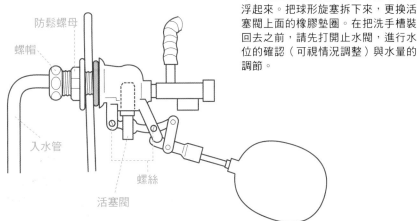

防鬆螺母
螺帽
入水管
螺絲
活塞閥

●修理的流程

先把止水閥拴緊，再把洗手槽拆下來，檢查水位的高度和浮球是不是有浮起來。把球形旋塞拆下來，更換活塞閥上面的橡膠墊圈。在把洗手槽裝回去之前，請先打開止水閥，進行水位的確認（可視情況調整）與水量的調節。

馬桶的疑難雜症 ❹

馬桶裡的水流個不停

↓

活塞閥上的橡膠墊圈劣化

球形旋塞是用來控制水從入口管注入水箱內的給水、止水功能。一旦球形旋塞內部的活塞閥上的橡膠墊圈劣化，就沒有辦法充分地發揮止水功能，水會積在水箱裡，從溢流管的上方直接流進馬桶裡。這時不妨更換橡膠墊圈。如果這樣還不能改善，但是浮球及其他零件也都沒有異常的時候，就要換一個新的球形旋塞。

※在懷疑球形旋塞的異常之前，請先檢查浮球是不是根本不會浮起來（參照122頁）。

水箱內的水位下降，浮球沈下去的狀態。由於球形旋塞的活門下降（打開），所以水會從入水管流進水箱裡。

水箱內的水位上升，浮球浮起來的狀態。由於球形旋塞的活門升起（關起來），所以水不會流進水箱裡。

橡膠墊圈的更換

■把球形旋塞平放，取下螺絲。

❷把螺絲拆下來之後，再用手取下活塞閥的橡膠墊圈，換上新的橡膠墊圈。再把整個拆下來的順序倒過來裝回去，打開止水閥，檢查水箱內的水位。如果有必要的話可以進行水位的調節，最後再調整水量（以上皆參照123頁）。

球形旋塞的拆卸

■首先，把止水閥拴緊。用水泵鉗把入水管的螺帽拆下來之後，再把防鬆螺母拆下來，取下螺母內部的濾網（參照122頁的下半部）及墊圈等等。
※拆卸的時候請事先準備好抹布等等，以免殘水到處流。如果螺帽內的橡膠墊圈老舊的話，請拆下來換上新的。

❷用手把球形旋塞從水箱的內側拆下來。

水箱內的狀態

一旦水位上升，水就會從溢流管的上方流進馬桶裡。明明浮球已經浮起來了，水還是不斷地從球形旋塞流出。

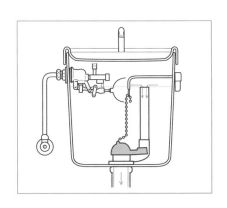

●修理的流程

把止水閥拴緊，把洗手槽拆下來，檢查水箱內部。用手把浮球撥回中央。再打開止水閥，調節水量。

上圖為浮球。浮球和浮球臂是一組的。可以帶去五金行，購買螺絲的螺距和浮球臂的長度一模一樣的新浮球組。浮球的大小只要差不多一樣大就行了。

水箱內的狀態

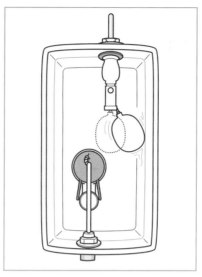

從上面俯瞰水箱的狀態。浮球貼在水箱的側面，完全浮不起來。

馬桶的疑難雜症 ❺

馬桶裡的水流個不停

↓

浮球不會浮起來

即使球形旋塞沒有異常，如果浮球一直不浮起來的話，水就會一直從溢流管的上方流進馬桶裡。所以請先檢查浮球是不是被水箱的側面勾住了。另外，有時候浮球浮不起來是因為有破洞的關係。像這種情況，就要先把球形旋塞從水箱裡拆下來，連同浮球臂把浮球整個換掉。

濾網的清潔

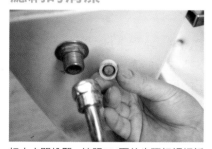

把止水閥拴緊，按照121頁的步驟把螺帽拆下來。把濾網從螺帽的內側取出，用布或牙刷等工具清潔。再恢復原狀，打開止水閥，調節水箱內的水量。

橡膠墊圈的更換

更換用的橡膠墊圈。請向五金行購買同樣大小的橡膠墊圈。

把洗手槽拆下來，再用手把舊的墊圈拆下來，裝上新的墊圈。

洗手臺

即使才剛壓下沖水把手，也只流出一點點水來。

●修理的流程

從水箱的正面斜斜地把洗手槽稍微抬起來一點（參照119頁上半部），檢查水管與洗手臺的接縫處（假設是橡膠墊圈的話）。扳動沖手把手來讓水流流看，如果有漏水的狀況，請參考「橡膠墊圈的更換」來更換橡膠墊圈。如果沒有漏水的話，就要進行「濾網的清潔」。

橡膠墊圈

馬桶的疑難雜症 ❻

洗手臺裡的水出不來

↓

濾網的清潔等等

最常見的原因是連接出水管與球形旋塞的螺帽內部的濾網（網狀物）上頭沾附著污垢，導致水排放的不是很順利。不妨清除濾網上的污垢。如果從球形旋塞延伸出來的水管跟洗手管連接的地方有使用到橡膠墊圈的話，原因也有可能是出在橡膠墊圈劣化所造成的漏水。

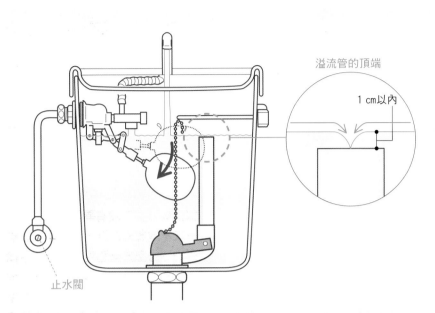

溢流管的頂端

1 cm以內

止水閥

止水閥的水量調節

在修理水箱內部的時候，作業之前要先把止水閥拴緊，修好之後再打開。打開的時候如果沒有先調節好從止水閥流進水箱裡的水量，可能會發生流進水箱的水量超過水箱的容量，進而滿出來的慘劇。所以修好之後一定要先調整止水閥的水量。

●步驟

用手把浮球往下壓，慢慢地打開止水閥，過了一會兒之後，水位便會到達溢流管頂端的高度。即使水不停地從溢流管的頂端流掉也要繼續把浮球往下壓，讓水位保持在不要高過溢流管頂端10mm以上的狀態。如果水量高於溢流管頂端10mm，可以把止水閥往右轉，減少水量，加以調節。

調節水位的方法

在更換完球形旋塞和裡面的橡膠墊圈之後，有時候還需要調節一下水位。換完後（先不要調節水量），請打開止水閥，檢查球形旋塞的入水停止之後，水箱內的水位。當水位維持在比溢流管的頂端還要再低2～3cm的地方，就是最適當的水位。如果不滿2cm的話，請把浮球的浮球臂彎到適當的位置，讓水位降低。

這麼作可以讓水位下降

把浮球臂往逆時針的方向旋轉，從球形旋塞拆下來。用尖嘴鉗夾住浮球臂的左右兩邊，一點一滴地慢慢彎曲。等到把浮球臂折到比原來的位置稍低之後，再把浮球朝下，裝回球形旋塞上。如此一來，浮球就會比多加這道手續之前先浮到水面，降低水箱內的水位。

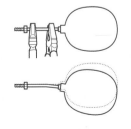

何謂止水閥

止水閥的形狀琳瑯滿目，基本上以前端有個可以讓一字形螺絲起子插進去的溝槽最為常見。以順時針的方向轉到不能再轉為止，便能把水完全關上。打開的時候請慢慢地往逆時針的方向轉。

開關時請把一字形螺絲起子插進溝槽裡，旋轉。上圖的止水閥是固定在地面上的。

止水閥的種類

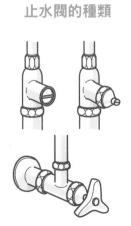

填充在洗臉檯邊的材質出現裂痕

填充在洗臉檯與牆壁之間的填縫劑，用手去摸的話會有宛如橡膠一般的彈性，但是經過長年累月的變化，如果已經硬化，出現裂痕的話，請不要放著不管，最好填入新的填縫劑。

大約的時間：30分（不含乾燥時間）

用這個來處理 矽利康填縫劑

使用在浴室等有水的地方。加有防霉劑。不同於使用在室外等地的多功能矽利康填縫劑（84頁），填充後不可以再上油漆。附有防護用膠條和刮刀。也可以用於浴室（浴缸與牆面之間的縫隙）。浴室填縫膠New／714日圓左右／Konishi

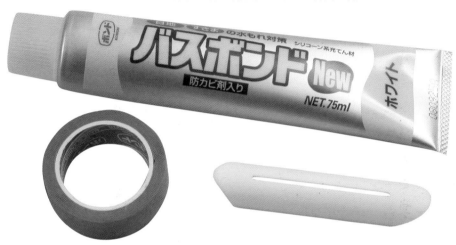

埋入填縫劑

❸ 沿著需要填充的地方割上防護用膠條圍起來，再擠壓軟管，從一頭把填縫膠擠進去。

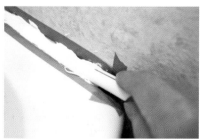

❹ 為了要確實地把填縫膠擠進去，請用附贈的刮刀從其中一頭把填縫膠刮平。刮刀的凹陷處要記得朝下。趁凝固前把防護用膠條撕下來。

❶ 用美工刀在舊的填縫劑兩邊各割出一道縫（直直地沿著藍色虛線內劃開）。

❷ 從割開的邊緣抓起來，慢慢地把舊的填縫劑撕起來，此舉可以把舊的填縫劑撕得一乾二淨。

非常好處理的膠帶狀填充材料

可以配合要填充的地方寬度挑選適合的膠帶。900日圓左右。

用剪刀剪下所需的長度貼上。

水龍頭
用『貼布法』徹底地除去污垢

水龍頭狹窄的部分就連牙刷也難以深入，因此很難把污垢徹底地清除乾淨。而且如果太用力刷的話，會在不鏽鋼上刮出細細的傷痕，反而會讓這個部分藏污納垢，也是造成表面失去光澤的原因之一。因此推薦給大家把沾滿清潔劑的廚房專用紙巾貼在水龍頭上的方法。等到清潔劑滲透進去，幾乎所有的污垢都可以用這種方法清除，如果作到這樣還清除不掉頑垢，就要用小竹板來對付了。和研磨劑等不一樣，小竹板不會在金屬上刮出傷痕。

水龍頭附近的污垢主要是水垢。附著在上面的白色物體是含有水分的鈣質成分。由於水垢是鹼性的，所以必須使用弱酸性的清潔劑才能去除。最後再塗布上一層保護膜，就可以防止污垢的附著。

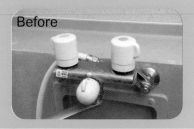
Before

●**亮光保護劑**[日本MIRACON產業]
可形成撥水薄膜。利用離子的力量來防止氧化、劣化。

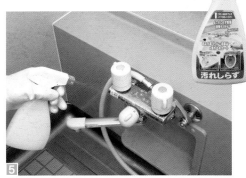

把浸在清潔劑裡的廚用專用紙巾貼在髒的部分，縫隙也要仔細地包好。

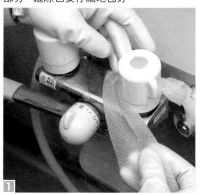

1

用小竹板把在**2**沒有清除乾淨的污垢刮掉。

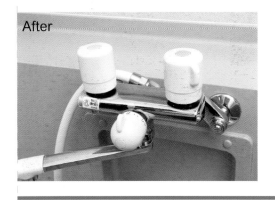
3

5
等到污垢完全掉下來之後，再用水把清潔劑沖乾淨，然後直接在潮濕的狀態下噴上亮光保護劑。用布把亮光保護劑均勻地推開之後，再用水沖乾淨，最後再用乾的抹布擦拭。

4
用鏡子來看位於水龍頭內側看不到的部分。

2

貼好之後靜置10分鐘（污垢太嚴重的時候約20分鐘）。通常污垢在這時候就會掉下來了。

After

如何順手地使用廚房專用紙巾

把廚房專用紙巾剪成5cm的寬度，放進塑膠的容器裡，再倒入清潔劑。之所以要剪得那麼小片，是為了在狹窄的地方也能順利地貼上。如果是噴霧型的清潔劑，只要把噴嘴拆下來用倒的，就可以避免清潔劑四處飛濺。

●**廚房衛浴用亮光清潔劑**
[KINCHO]
含有醋酸成分的清潔劑，有助於分解水垢裡的鈣質成分，洗淨污垢。

日語版製作

■DIY指導
西沢正和／吉羽清人／武田和憲
吉村美紀／小方早苗／諸井路子
岡部洋子／鈴木雅博／鈴木ひろ子
嶋崎都志子

■撮影
成清徹也／上林徳寛・福田 稔(f-64写真事務所)
内堀たけし／筒井雅之／徳江彰彦

■カバーデザイン
ルート24

■本文レイアウト
ルート24／パブログラフィックス

■図版・イラスト
常葉桃子(しかのるーむ)／田中小百合
徳永智美(Tig.design studio)／細川夏子

■校正
鶴田万里子

■編集
大津雄一・渡辺理恵(NHK出版)

自分で直せる! 住まいの補修術
Copyright © 2009 Japan Broadcast Publishing Co., Ltd.
Originally Japanese edition published by Japan Broadcast Publishing Co., Ltd.
Complex Chinese translation rights arranged with Japan Broadcast Publishing Co., Ltd.
Complex Chinese translation rights © 2009 by Maple House Cultural Publisher

出　　　版／楓書坊文化出版社
地　　　址／台北縣板橋市信義路163巷3號10樓
郵 政 劃 撥／19907596　楓書坊文化出版社
網　　　址／www.maplebook.com.tw
電　　　話／(02)2957-6096
傳　　　真／(02)2957-6435
翻　　　譯／賴惠鈴
總 經 銷／貿騰發賣股份有限公司
地　　　址／台北縣中和市中正路880號14樓
網　　　址／www.namode.com
電　　　話／(02)8227-5988
傳　　　真／(02)8227-5989
港 澳 經 銷／泛華發行代理有限公司
定　　　價／320元
初 版 日 期／2009 年 12 月

國家圖書館出版品預行編目資料

家庭修繕百科／鵜飼泰宏 編輯；賴惠鈴 譯.—初
版.—— 臺北縣板橋市：楓書坊文化　2009.12
128面25.8公分

ISBN　978-986-6326-21-9（平裝）

1. 房屋　2. 建築物維修　3. 家庭佈置

422.9　　　　　　　　　　　　98020748